現代経済戦略史と揺らぐグローバルスタンダード

堀　篤

東京図書出版

現代経済戦略史と揺らぐグローバルスタンダード◇目次

序章　グローバルスタンダードは恣意的な産物か

■進む矛盾、地域主義とグローバルスタンダード化

21世紀に入り、世界は、より自分たちの国を優先し、自分たちの国の独自性を守る方向性へ舵を切っている。これは、生物本来の自己中心的な現象であると同時に、地域を認め、地域を重要視する傾向の出現だとも言える。

そして、2020年になると、私たちは、新型コロナウイルスの感染拡大、という新たな、そして大きな試練に見舞われた。「全く同じ内容の課題」を同時に与えられた世界各国は、その事情の違いによって、異なる対応をした。そして互いにそれを批判し、自省し、何が正しいのか、何が間違っているのか、を自問自答し、世界機関であるWHOの在り方についても議論した。果たして感染症拡大阻止のためのグローバルスタンダードはあるのか無いのか、あるべきなのか、なくて当然なのか。その疑問の中に、私たちや、政治家は、放り込まれたのだった。

しかし、経済問題においては、いまだに、統一された一つのルールを世界中に適用しようと

する動きが盛んだ。すでに当たり前のこととなったグローバリゼーションが進む中で、特に経済大国と言われる国にとっては、経済の世界でナショナリズムや各国の独自性を認めてしまえば、自分たち、自国の既得権益を失いかねないからだ。そこで、先進国の間では、自国のルールをグローバルスタンダードにしようとする活動が常に存在する。

一方、日本の経済界を見ると、そこには別の世界が出現していることがわかる。ここでは、自国の事情を無視してでも「他国が決めたグローバルスタンダード」こそが、各企業、各政府がたどり着くべき場所だと決められているように見える。

「グローバルスタンダード」という言葉は、少なくとも日本では、正義の言葉、金科玉条の代名詞のように言われ続けている。「これがグローバルスタンダードだよ」という言葉を、相手を説得するキーワードに使うコンサルタントに何人会っただろうか。グローバルスタンダードの手法を否定するものは、まるで黒船を初めて見た時の侍のような扱いを受ける。

しかし、日本では、グローバルスタンダードを取り入れることが、自国にどういう副作用があるのか、その議論には常に蓋をされている。

わが国で、本当にグローバルスタンダードを取り入れることが必要なのか、そしてそれを取り入れたその先に、どのような世界が私たちを待っているのか、その疑問にたどり着いた者は少ない。

しかし、たったいま、読者の皆さんはその疑問にぶつかったのだ。

改めて私たちは、いま、考える必要がある。グローバルスタンダードを作り、それに合わせることは、正しいことなのか……。そしてそれは日本にとって、どういう意味があるのか。そもそも、グローバルスタンダードとは何者なのか。それこそが、本書のテーマだ。

■「ルールマネジメント戦争」はグローバルスタンダードを決める争い

１９４５年、世界的な大戦争が終結し、その後の世界では、新しいルールが必要になった。これが、現代グローバルスタンダードの始まりだ。戦後の70年間は、世界にとって、ルールを定めることこそが、恒久的な平和を手にする唯一の方法だと信じられた。

そして、そのグローバルスタンダードづくりに、世界は躍起になり、今度は、それ自体が争いの元となる。初期には資本主義と社会主義という、政治経済体制がその中心的な争いの元となり、その戦い（冷戦）が終結すると、次は資本主義社会の中で、グローバルスタンダードを巡る争いが始まった。本書ではその歴史について紹介する。

この70年は、グローバルスタンダードを誰が作るのか、という争いの70年間だった、と言える。そして、そのルールの内容によって、各国に損得が生じるのは当然の事なので、このルール作りに、大国は必死になり、少しでも自らに有利なルールを他国に強制させようとしてきた。

このルールの押し付け合いが、本書で言う、ルールマネジメント戦争（＝ＲＭＷ）だ。

貿易のルール
為替市場・株式市場などのルール
企業経営・会計についてのルール
製品の品質に関するルール
環境問題についてのルール

これらの問題について、大国はルールを、自国の中だけに閉じ込めず、他の国に押し付けようとしてきた。

そして、このルールの押し付けには、一定のやり方がある。

今の時代、他国に対して、無理難題を押し付けるわけにはいかないので、自国が主張するルールが理論的に正しいのだ、という学術的な布石をまず打ち、その正当性を主張した上で、「正義に基づき」そのルールを提唱し、各国に適用していくよう、圧力をかけていく。

つまり、今の私たちが勉強してきた理論の多くは、そのようにして生まれた、「結果ありきの理論」なのだ。

そして、そのルールを適用しようとしない国には、貿易上政治上、不利となる圧迫を与えながら、そのルールを広げていく。このルールを押し付ける国は、そこに、「グローバルスタンダード」という名前をつけた。

結局、自国で作成したルールを他国に広げれば、その分野で圧倒的な優位性を得ることができるのだ。戦争が終わった１９４５年以降、様々な分野において、各国のＲＭ戦争の戦火が広がった。

■日本に合わないルールを導入したことが、経済的低迷の主要因

日本の「失われた20年」がなぜ生じたのか、そしてその20年間が終わった後、もう私たちはほかに何か重要なものを失っていないのか。

その答えは、おどろくほど簡単だ。

日本は戦後、常に米国英国の「ルール攻撃」にさらされ、あらゆる犠牲を払ってきた。その結果、日本が消化不良を起こしたのが、この20年間だ。社会体質や国内の法律、国民慣習に合っていないルールを、無理に「グローバルスタンダード」だからといって取り込んできた結

果が、今の日本の社会だ。そして、今もそれは続いている。つまり、現在進行形で、私たちはグローバルスタンダードを受け入れ、代わりに「何か」を失い続けている。

本書ではまず、これまでのルールを巡る戦いを紹介したい。ニクソンショックから始まる貿易を巡るルールの戦い、ＩＳＯなどに関する品質基準の戦い、格付け機関による格付けからの防衛戦、現代のＲＯＥを巡る価値観形成など、これまで日本が晒されてきたいくつものＲＭ戦争が、一見「正当な理論」に見えてもその実、米英の事情による仕掛けであることを紹介したい。また、足もとにあるコーポレートガバナンスや環境問題もまた、その戦争の一部でしかないこと、そして、これから我が国がどうすべきか、という示唆をしていきたいと思う。

ルールマネジメント戦争に使われる主要な武器である「ルール」は、常に真っ当に見える形をしている。そして、元来素直な、日本人の多くは、それを素直に聞き入れ、または洗脳され、自分たちもその流れに遅れないように、努力をしてきた。

しかし、よく考えていただきたい。

欧米が主張するその理論は、本当に正しいものなのか。

それは欧米では正しくても、日本や他の地域など環境や風土が異なる場所においても、適切だと言えるのか。

欧米が拡散するルールは、彼らに利するものでしかないのではないか。

逆に日本発で提唱できるルールがもっとあるのではないか。

近時、米英だけでなく、中国もまた、このルールマネジメント戦争の仕掛け人となろうとしている。近い将来、中国流のやり方が、「グローバルスタンダード」となるかもしれない。いや、なるだろう。

近時、そのような中国への警戒感から「エコノミック・ステイトクラフト」（経済的手段を利用し、地政学的国益を追究する手段）という言葉が注目され始め、我が国でも内閣国家安全保障局（NSS）に、これに関連する部署が立ち上がった。しかし、この動きは遅く、十分というには程遠い。

私たちにできることは、一日でも早く自分たちの悪癖を正し、グローバルスタンダードを神のように崇めることを止めることだ。日本社会に合った、そしてそれが世界にも受け入れられるような理論や仕組みを、私たちは作らなくてはならない。米国にも中国にもNOと言える理論が、私たちには必要になるだろう。

新型コロナウイルスが世界中に感染拡大を起こし、現在の社会体制に再考の余地を与えた。世界中を同じ環境で統一することのリスク、グローバルスタンダードを強要することのリスクを、大勢の命を危険にさらすことで、私たちは思い知ったはずだ。変わるなら、今しかない。

1章 自由貿易を巡るルールマネジメント戦争の勃発

[1] 日本の高度成長と「プライドある米国」の時代

私が生まれたのは、昭和37年10月。寅年だ。

会社経営をしていた祖父の家には、小さなソファーくらいの大きさもあるレコードプレーヤー兼ラジオと白黒テレビがあった。

その家に引っ越す前、ちょうど私が生まれる3年前に、地元名古屋を襲った伊勢湾台風は、名古屋港近くのアパートに住んでいた私たち家族を十分にビビらせたらしい。流れてきた大きな丸太がコンクリートの壁に何度もぶつかり、いつその古いアパートが倒壊するか、生きた心地がしなかったという。そんな港近くのアパートを撤収し、私たちは、祖父の住む名古屋市東区の土地にもう一軒、家を建てて引っ越してきたのだった。

ちょうど日本経済の高度成長期だ。

この高度成長は、日本が戦争による破壊と再生の中でもがき、辿り着いた成果だったが、当時子供だった私には、ただ、当たり前のように、暮らしは日々、進歩するものであった。家にあったテレビは、白黒からカラーになり、馬鹿でかいレコードプレーヤー兼ラジオは、小型化し、洗濯機は2槽式になった。

祖父は、瞬間湯沸かし器のような面もあった人だが、私には、花札を教えてくれるなど、ずいぶんと可愛がってもらった記憶がある。祖父の家は私の実家と同じ敷地内にあり、毎日行き来ができた。そこでは、昼間には株の短波放送が流れ、いつ遊びに来るかわからない私のために、いつも落雁などが用意されていたものだ。

私は社会人になるまで全く知らなかったが、祖父が経営する会社は、中部地方の、とある軍需企業だった。それが、敗戦の後、名前を変え、機械製造業へと方向転換をする。現在では、また別の名前で、圧造機械や塗装機械のメーカーとなっているが、戦前戦後の、まさに生き証人のような会社だ。

本書では、まずメインテーマである、「グローバルスタンダードを巡る争い」つまり、「ルールマネジメント戦争」が彩る現代経済戦略史のスタートとして、戦後の日本や祖父の会社のような実業界がどのように復興してきたか、その経緯を見ていきたい。それは米国が、本格的な「ルールマネジメント戦争」に突入する前、まだ資本主義国の盟主としての自信に溢れていた頃の話だ。そしてこの頃の日本を理解することは、今の日米関係や、日本がグローバルスタンダードを崇める理由について、より正しく理解することに繋がるだろう。

太平洋戦争直後、日本の戦争能力の「初期化」を最優先課題としていた米国は、日本に軍事力を放棄させ、無力化することに注力していた。日本に再び軍事力につながるような重工業の力を与えないような政策、すなわち、財閥解体や戦後賠償政策を進めたのだ。

しかし1947年、その方向性が突如変わった。

その原因は、米国の、ソ連との対立激化だ。米国とソ連は、この頃には第二次世界大戦後の勢力争いを、隠すことなく激化させていた。その後長く「冷戦」と呼ばれたこの状況は、当時のヨーロッパ情勢に、その端を発する。

2年前の1945年、米英ソによる、第二次世界大戦後の「ヤルタ体制」により、ヨーロッパは東欧・西欧に二分された。この体制を固めた「ヤルタ会談」では、同時にソ連による日本への参戦も秘密裏に決められ、この流れは後にポツダム宣言へ承継されることになる。

米ソ共通の敵であったドイツは、ヤルタ体制により、米英仏ソ4カ国による占領地となり、首都ベルリンは、この4カ国による分割統治となったのだ。そして1948年のベルリン封鎖を経て、1949年、米英仏とソ連の対立が決定的となり、ドイツは、西ドイツと東ドイツに分断されることになる。

米ソ対立は、アジア地域でも表面化し、すでに1945年にソ連が北緯38度線まで進行していた朝鮮半島では、1948年には連合国側は大韓民国の成立に成功したが、北朝鮮はソ連、中国という共産圏の手に落ちた。

当時、米国にとっての優先課題は、対ソ連、対共産圏で、どれくらいの国や地域を自由主義陣営につけさせることができるか、という戦いだった。その中で日本や、日本が占領地としていた地域は、重要な場所だった。これらの国を早期に自由主義陣営につけ、ソ連を始めとする社会主義陣営に対する経済的・軍事的な優位を形成することが、当時の米国の最も重要な方針だった。

こうした冷戦激化の中で、米国は、対ソ連の壁として、日本という国を、強靭なものにする必要に迫られた。そして、日本の経済力を復興させることを一つの占領目標とすることに、方針転換を行った。つまり、占領軍の方針は、日本という「昨日の敵」を、強力な「今日の味方」として作り変えることに変わったのである。1947年の、この政策転換によって、日本は再び得意の重工業を開始することとなった。

日本経済の復興にとって、これが、最初の幸運だった。

しかしこの幸運が、このように単に米ソの冷戦激化によるもの、とするのは表面的過ぎる言い方だろう。日本の重工業復活は、米国内では、かなり賛否を呼んだ方向転換だったからであり、それほど簡単な決断ではなかったからだ。

米国としては、日本を復活させるか否かの結論を得るには、日本が今後、長期にわたって、真のパートナーとなり得るか、という判断をしなくてはならなかった。そしてその判断に重要な影響を与えたのは、旧来から日本人と個人的なつながりが強い米国人の意見だった。これまでの現代史ではあまり重要視されてこなかったが、戦前の日本人と米国人のつながりは、一部では強固なものがあり、それが、戦後の日本再生に大きな力となったのだ。

同時に、この当時の「プライドある米国」は、資本主義・自由主義の総本山としての自負に満ちていた。

この「人間関係」と「米国のプライド」が、日本を復活させる一因となったのだ。

そのような人間関係を持っていた代表的な人物の一人として、米国の対日政策転換に大きな影響を与えた、米国指折りの名家、グルー家の英才、ジョセフ・グルーがいる。

1932年から米国の駐日大使を務めたグルーは、当時の親日家の最右翼の一人だったと言って良いだろう。彼は在日時には、敵国人ながら多くの日本の政財界人から信頼を得ていた。

その陰の殊勲者は、アリス夫人だと言われている。アリス夫人の旧姓は「ペリー」だ。彼女の曾祖父の兄が、あの黒船を率いて日本を開国に導いたペリー提督である、というのは、不思議な縁としかいいようが無い。

そのアリス夫人は、日本語が堪能で、日本人とコミュニケーションをとるのが上手だったようだ。日本人の執事が、大事な壺を割ってしまったときに、

「あれは、本当に気に入らなかった壺なの」

と言ったという話は、有名だ。

グルーは、開戦直前まで、当時の鈴木貫太郎侍従長らと深い親交があったという。2・26事件が勃発した前日も、鈴木貫太郎らは、グルーの招きで夕食会に出ていたのだ。

彼がグルー宅から深夜帰宅した翌日の朝5時頃、陸軍安藤中尉をはじめとする急襲部隊が鈴木宅を襲撃した。翌朝、この凶事を知ったグルーは、呆然としたことだろう。

こういった一連の出来事を目の当たりにしてきたグルーは、太平洋戦争の本質が日本陸軍の暴走にあり、天皇制や政権そのものには好戦的な資質が無い、ということを見抜いていたのだ。

グルーは、駐日大使として、日米開戦回避のために奔走するが、その甲斐なく、太平洋戦争は始まり、米本国からの帰国命令によって日本を離れる。しかし、日本の敗戦が決定的となる1945年頃、グルーは米国内で原爆投下への反対活動を展開する。天皇制存続を前提とした、日本への降伏勧告を主張して回ったのだ。これらの彼の努力は結果的に実らなかったが、終戦後、彼は「ジャパン・ロビー」を組織し、天皇制の存続を支援し、強引な米国の占領政策への

批判を続けた。

やがて、「ジャパン・ロビー」は、「アメリカ対日協議会＝ＡＣＪ」として、米国で一定の力を持つようになっていく。

ＡＣＪは、日本の産業力が過度に喪失しないよう、議会、ＧＨＱに圧力を与え続けた。その背景には、グルーたち旧在日米国人らが、太平洋戦争の本質（軍部の独走によって戦争が起きた）を見抜いていたこと、そして、日本が十分に信頼できる米国のパートナーとなり得る、という考えを持っていたことがある。

やがて、この活動は実を結び、米国は対日政策を穏健なものに方向転換をする。


最初は、『ニューズウィーク』紙が、ＧＨＱによる日本の占領政策を批判したことに始まる。ＧＨＱによる経営者パージ（追放）について、『ニューズウィーク』の社説は、「よりによって資本主義の総本山である米国が、日本で多くの実業家を追放し、共産主義へ走らせている」という記事を掲載したのだ。

米国はこの時期、自国こそが資本主義・自由主義の体現者である、という自負を強烈に持っていた。占領政策を実施するＧＨＱは、日本を徹底して弱体化させることに腐心していたが、本国では、すでに占領方針の転換を考えていたのだ。

この頃から、ワシントンとＧＨＱの方針は、ずれてきている。

1947年には、いわゆる「ストライク調査団」が来日し、これまでの日本への厳しい産業規制を主張した報告書（ポーレー報告書）を大幅に緩和した財閥解体案、戦後賠償案を提唱している。

また、ウォール街の代表として、ディロン・リード（投資銀行）副社長のドレーバー陸軍次官は、日本占領の目標を、「経済復興」に置くことを明確にすることを主張し、これを支援した「政策企画本部」の初代本部長、ジョージ・ケナンもまた、ソ連封じ込め政策による「共産圏との対決」という考え方を前面に出し、日本をアジアにおける資本主義の重要拠点として、その経済復興を推進しようとした。

ちなみに、ケナンは、第二次世界大戦後のヨーロッパ復興を指導したジョージ・マーシャルが重用した人物で、彼が、「冷戦」というコンセプトを戦略的に企画した人物だとも言われている。

こういった動きをまとめた形で、1948年1月には、「日本を対共産主義の防壁とする」ために産業を活性化させるべきだ、という演説が、ドレーバー案を受け入れた、陸軍長官のロイヤルによってなされている。

日本敗戦直後のこの時期、ジョセフ・グルーに始まったこういった一連の動きが、日本の産業界を救ったのだ。日本の復興には、日本人の努力はもちろんだが、一部米国人による活動が裏側にあったことも忘れてはならないだろう。彼ら米国人の国家戦略の裏には、自由主義国、世界のリーダーとなろうとする、そうした気概を感じることが出来る。

同時に、当時の米国が、単なる覇権主義ではなく、民主主義・資本主義の理想に燃え、ソ連との冷戦の中で、日本を極東の民主主義世界の先鋒として育てようとしていたことが、よくわかる。

そして、これ以降、日本の重工業復活、そして経済大国復活への道のりが始まる。もし、彼ら親日米国人らの動きがなければ、多くの東南アジア諸国が、しばらくはそうであったように、日本はその後も長きにわたって、軽工業品を廉価で世界へ提供するだけの国になっていたかもしれない。


この現代史の経緯が、その後の日米関係に長らく影響を与えている、ということは、本書における重要なエッセンスだ。

つまり、日本の政治・経済体制は、敗戦によって占領され、米国に無理矢理押し付けられ、今に至っているわけではない。そのような関係であれば、日米の関係はこれほど密接にはならなかっただろう。もっと憎悪に近い感情が日本に生まれていても良かったはずだ。首都を焦土にされ、原子爆弾を2発落とされた相手である。逆に憎悪が無いことが不思議なくらいだ。そして、そのような西欧から押し付けられるルールに対する抵抗が、その後も大きく残っていても不思議ではない。

しかし、太平洋戦争前からの親日的な人的関係により、「米国に助けられた」という「良い印象」が、その後の日本の資本主義社会への米国の影響力を長きにわたり保持させている、という一面があることを、忘れてはならない。つまり、日本はこの戦後処理以降、米国に対して常に「善意」と「正義」のイメージを持ち続けているのだ。

そして、そのことが、戦後数十年にわたり、日本が米国の押し付けるルールに対して、敵意を持たずに受け入れ続けてきた背景にあるのではないだろうか。米国が押し付けてくるルールは、実はその多くが「利己主義に基づく戦略」であったとしても、日本人は常に、どこかで米国の正義と善意を感じてしまっていた可能性がある。

そして確かに、一定の時期までは、米国は自由主義の盟主としてその振る舞いはプライドとリーダーシップに溢れていた。英国に代わって自分たちが、世界中に、新しく、平和な自由主義社会をつくるのだ、というニューリーダーとしての気概が、米国には溢れていたことだろう。しかし、戦後20年程が経つ頃、状況は変わっていった。「ある出来事」によって、米国は世界戦略の在り方を変えていくことになる。

② ベトナム戦争と、米国の変化

1975年4月29日午後、サイゴンには、その場所にも季節にも合わない、「ホワイトクリスマス」が鳴り響いていた。

米軍による、外国人全面撤退の合図だ。

北ベトナム人民軍のソ連製戦車T54を進軍させる北ベトナム人民軍は、サイゴン攻略の「ホーチミン作戦」を実行に移し、15個師団の大部隊で、南ベトナム軍を撃破し続け、明日朝には、サイゴンへ侵入してくることは、誰の目にも明らかだった。

しかし、南シナ海に停泊した第七艦隊の船舶に向かう職員たちを横目に、米国最後の南ベトナム駐在大使となったグラハム・マーティンは、撤退命令に対し、頑強に抵抗を続けていた。米国の誇りの塊のようなマーティンは、海兵隊員であった息子をケナン（南沙諸島）で失っていたからか、そこを死地と決めているようだった。だが、そのマーティンも、受話器の向こうのキッシンジャーの怒鳴り声の前に折れ、ついに30日未明、ヘリコプターで大使館を後にする。

1975年4月30日、サイゴンは陥落した。

捕縛された南ベトナムのミン大統領は放送局へ連行され、人民軍が用意した声明を読み上げさせられ、南ベトナム政府は終焉を迎えたのだった。

このとき、米国のプライドの大きな一部もまた、崩壊したと言えるだろう。

米国にとって、このベトナム戦争の敗北は、大きな痛手であったと同時に、世界戦略を大きく変える、歴史的な転換点となった。

米国の敗戦は、正確にはこの1975年だが、サイゴン陥落に先立つ7年前、1968年1月の「テト攻勢」によって、北ベトナム軍、南ベトナム解放戦線が、サイゴンを一時陥落させ、米国大使館を占拠したときに、すでに米国の敗北は既定路線となっていた。米国政府は、この一度目のサイゴン陥落を、国民に伏せた。そして、そのことは事態を余計に悪化させたと言えるだろう。

米国と南ベトナム軍は、このテト攻勢の後、一時盛り返しを見せるが、その過程で行われたベトナムでの虐殺などが米国で報道され、結果として米国内では、反戦運動が高まりを見せる。米国もまたこのとき、変革期を迎えようとしていたのだ。

そして、変革は常に、犠牲を伴う。

人種差別に立ち向かい、ベトナム反戦運動にも熱心だったアーサー・キング牧師は、1968年4月4日、白人の脱獄犯に暗殺されてしまう。また、ベトナム戦争を主導した兄のJ・F・ケネディとは逆に、ベトナムの戦線拡大に反対をしていた上院議員、ロバート・ケネディもまた、同じ年の6月6日、凶弾に倒れた。

米国内では、戦争に非を唱える者と、それを扇動する者、そして白人と黒人の対立が激化し、まさに時代の転換期を迎えていたのだ。

8月にはシカゴで大規模な反戦デモ隊と警察の衝突が起こり、多数の逮捕者が出る事態となり、米国は大きく揺れ動いていく。

そもそも、このベトナム戦争は、米ソの冷戦を具現化した代理戦争に過ぎない。元々、フランスの植民地であったベトナムは、太平洋戦争時、日本が解放し、独立した。しかし、日本の敗戦後、フランスが再度統治をしようとした時に、ソ連がベトナム（北ベトナム）を支援し、フランスと戦争状態となった（インドシナ戦争）のだ。フランスは南ベトナムに傀儡政権を樹立し、ソ連が支援する北ベトナムと戦った。この状況は8年間続くが、結局フランスは敗北し、1957年、ベトナムは南北に分断される。

しかしその後、北ベトナムは統一を目指し、再度内戦が始まり、これにJ・F・ケネディの米国が、南ベトナムを支援する形で参戦したのだ。

こう見ると、ベトナム戦争とは、米国には直接のメリットがある戦いではなく、フランスの尻拭いをしているだけのように見える。しかし、自由世界を世界中で構築する、という理想に燃えていたこの時期の米国には、これは正義の戦いに見えただろう。

このベトナム戦争に先立つ1950年に始まった朝鮮戦争でも、米国は苦戦している。北朝鮮の猛攻に、当時総司令官だったマッカーサーは朝鮮半島に原爆を落とすよう、ホワイトハウスに進言し、解任された。このときは、タイミングよく?北朝鮮を支援するソ連のスターリンが死去し、米国の大統領も、トルーマンからアイゼンハワーに替わった。このことで、朝鮮戦争は終わったのだ。

とはいえ、朝鮮戦争がその中途半端な終わり方をしたが故に、未だに平和条約は結ばれておらず、正式な意味での終戦はしていない。

こういった、遠隔地での、国民にとっては「意義」が見えにくい戦争が続くことに、ベトナム戦争終結間際の米国は、ようやく自浄作用を発揮し始めていた、と言うことができるだろう。そしてこの自浄作用は、プライドや理想とは、ある意味で矛盾を孕むものだったと言える。

その後、反戦運動の高まりの中で、戦争を進めてきた責任を問われたジョンソン大統領が再選を目指さないと宣言すると、後任にはニクソン大統領が就任し、その政権下で、ベトナムの戦闘員は、段階的に米国に帰還していった。

そして、冒頭の通り、1975年4月30日、最後の大使がサイゴンを撤収することになるのだった。

米国は、このベトナム戦争の失敗を境に、先進各国に対する主導権を、徐々に弱めていった。

一方この頃、彼らの想定以上に成長を遂げてきた日本やドイツは、いつのまにか、米国にとって、経済的な意味での脅威となり始める。この時点で米国は、政治的な仮想敵国としてのソ連と、経済的な仮想敵国としての日本、ドイツという枠組みに陥ることになる。

こういった背景が、その後米国を「ルールマネジメント戦略＝RM戦略」を駆使し、軍事力ではなく、マネジメント力で同じ西側諸国を攻撃する、という行動へ走らせた要因となっていく。

このことは、良く言えば「軍事力の時代の終焉」であり、悪く言えば「新たな戦いの始まり」だ。

ニクソンが大統領に就任した、この1969年という年は、先進国間における覇権争いの手法における、大きなパラダイムシフトが起きる前夜であった、と言って良いだろう。

3 RM戦争とは、グローバルスタンダードを作る争い

米国は、ベトナム戦争以降、グローバルスタンダードを巡る「RM戦争」へとのめり込んでいく。では、本書でいう「RM戦争」（＝ルールマネジメント戦争）とは、何か。

この点について、まずは説明をしなくてはならないだろう。

「RM戦争」とは、最近になって出現した手法ではなく、太古の昔からある、「武力を使用しない戦争」だ。簡単に言えば、自国が有利になるようなルール・コンセプトを「グローバルスタンダード」などとして他国へ押し付け、その押し付けによって相手の国力を削ぎ、自国の影響力を高める戦いだ。

近時、言われ始めた言葉に、「エコノミック・ステイトクラフト」という言葉がある。「経済的な手段によって、国家的な目的を達成する」ことを言う。本書で言う「RM戦争」の意味は、これによく似ている。しかし、「エコノミック・ステイトクラフト」は、米中間の覇権争い、特にハイテク分野の中で語られることが多く、時事的な言葉として位置づけられているようだ。それに対し、「RM戦争」は、これまでの世界史の中で何度も繰り返され、すでにその在り方が確立された戦いだと言うことが出来る。そして、その当事者は米中だけではなく、日米英を始め、新興国までもがそこに入ると考えられる。特に我が国としては日米間の問題としてこれをきちんと捉え、その敗者としての反省と挽回への作戦を練る立場にあるはずだ。

世界は、植民地と資源の強奪戦であった二度の世界大戦から、政治体制やイデオロギー、経済原則を争う冷戦（資本主義vs社会主義）に移り、それが終わると、先進各国の「争い」は、資本主義という枠組みの中でのスタンダード、つまり、より細かな「ルール」を巡るものになっていった。つまり、現代のRM戦争は、冷戦に続く、近代から現代における紛争だと言える。

世の中にある「ルール」には様々な分野のモノがある。そして、その分野ごとに、ルールを巡る争い、RM戦争が存在すると言っても良いだろう。

貿易
金融・通貨制度
企業経営
品質
環境

これら、一つ一つの分野において、グローバルスタンダードを、自国が決めるのだ、という主張が、先進国の間でなされ、世界では常に、激しい「戦い」が繰り広げられている。ルールを決めた国が、その分野の主導権を握るのは、自明の理だからだ。

本書では、基本的に米英を中心としたRM戦略を描く。しかしいまや、中国もまた、このRM戦争に参加してきている。

RM戦争は、まさに今、現在進行形で進行している戦いであり、国の命運を左右するものだ、ということを忘れてはいけない。筆者は、今の日本がここまで停滞し続けている最も大きな原因は、日本経済が、欧米のルールマネジメント戦略に屈し、日本経済の土壌に合わない様々なルールを無理に取り入れようとしていることにある、と考えている。言い換えれば、日本の当局は、このルールマネジメント戦争の重要性を理解していないのだ。

米国は、自らが英国から奪った、世界のトップ国家としての地位を守るため、世界の国々のマネジメントに必死になってきた。あるときは寛容になり、他国の支持を集め、あるときは保護主義的になり、頭角を現した国家を叩いてきた。また、巧みに民間の動きを活用し、それに対して政府が黙認する、という戦略をとる場合もあるが、時には正面から政府が歯をむき出しにして、攻めてくることもある。

ＲＭ戦略は米国だけのものではなく、イギリス、ＥＵ、そして中国も、様々なテーマでこれを仕掛けている。その中で、米国のＲＭ戦略に限れば、１９７１年のニクソンショックから１９８５年のプラザ合意までの「自由貿易」をテーマにした時代と、１９９０年代の格付け機関が猛威をふるった時代、そして２００１年頃から現在に至るまでの「資本のルール」をテーマにした時代に分けることが出来る。そして「コロナ後の社会」では新たなテーマによるＲＭ戦争が起こるだろう。

そして残念ながら、このような、世界を動かすＲＭ戦争の歴史に対し、我が国は鈍感であり、対米追従以外には、国家的な戦略や対抗策を持たない。常に日本の政策当局は、その場その場の対応で終始しており、そのことが、日本の企業や国民生活に甚大な被害を及ぼしてきた。

日本は、安全保障上の枠組みから、対米同盟を世界戦略の基本と位置付けている。しかし、この戦略には、政経分離の概念がない。安全保障上の対米追従が、経済の世界や、ＲＭ戦争においても、全く同じように適用されている。その要因は、本章1節で説明した日本経済復活の経緯にあるが、世代がいくつか変わっても、まだその状況は変わっていない。

本章で紹介したように、日本の経済成長のきっかけが、米国の対日占領政策の変更にあることは間違いがない。そして、単に冷戦によって米国が日本を対共産圏の盾とした、というだけの歴史なら、反発力が出現しやすかっただろうが、そこに幾許かの善意があったが故に、日本人は米国の善意と文化を受け入れ、米国への追従にそれほど抵抗を感じない。しかし、この、世界でも稀な固い同盟関係と雖も、一定の政経分離は必要だろう。

後に紹介するように、ドイツや、韓国でさえも、ここ数十年の米国によるRM戦略に対して、抵抗をしてきた。しかし日本には、抵抗した跡が見つけにくい。米国が押し付けてきたルールに対して、それを国内用にカスタマイズするという、製造業でも見せたその応用力を発揮するはするが、その本質を否定、あるいは既存の国内ルールを優先させる、という対応をしてこなかった。

すでに体質となってしまった対米追従が、日本の財界や金融界から独創性や反発心のような、重要なものを失わせしめているような気がする。もちろん、日本発で、世界中の企業が真似をした素晴らしいシステムやマネジメントの仕組みは山のようにある。トヨタの「かんばん方式」などはその一例だろう。しかし、日本はこれまで、それらをマニュアル化し、世界の他の企業に拡大させるような野心を持ってこなかった。そこには、歴史的に日本人が、目に見える「技術」などには価値を認めるが、目に見えない仕組みには価値を付けてこなかった、という性質が影響している。

そして、このことが、日本経済を20年にわたり低迷させ、常に民間企業、国民に犠牲を強いてきた。米英中は、勝手にルールを作り、広げ、我が国は、受け身に徹してきたのだ。

例えば、過去米国は、資本主義の原則として「自由貿易」を掲げ、そのルールをその時々の事情で自ら決め、強烈に推進してきた。ＧＡＴＴの運営から対日牛肉オレンジ問題などがそれに該当する。

第二次世界大戦後、試行錯誤しながらも作られてきたＧＡＴＴ、ＷＴＯの体制は、自由貿易の推進がその目的であり、国際的に優位にない自国産業を守るために認められる唯一のツールを「関税」とし、それ以外のいわゆる「非関税障壁」を、なくそうと努力してきた。さらに、「関税」についても平時においては出来るだけ低くし、最終的には「関税」をも撤廃し、完全に自由貿易の世界を成立させよう、という理想のもと、世界は動いてきた。

しかし、米国は結局、この自ら作ってきたルールを、都合良く変えていった。自国の貿易赤字が減らないことにいらだち、「貿易収支が不公正な結果になっている場合、その要因は為替レートにあると思われ、その場合、為替レートは各国が協調してその水準を修正する」という、いわば「市場」を否定するルールを勝手に作り上げたのだ。

そして、自由貿易に必要なのは、公平で真に自由な為替レートである、という屁理屈にさえ聞こえるような議論をこれまで何度も掘り返し、プラザ合意のような為替レートの大きな変革（実質的な米ドルの切り下げ）を主導してきた。

米国が、このような、一見無茶とも思えるような戦略をとってきた背景は、米国の国力低下に対し、日本、ドイツ、中国といった国々に力がついてきたことがその大きな理由だ。しかし、その表面上の理由は、常に「自由（な貿易）を守るため」である。

また現在では、企業がＲＯＥやコーポレートガバナンスを重視する、というルールが日本市場でできつつある。これらは、世界的に投資を活発にするために、各国の「企業の価値観と経営の健全性を向上させる」ため、という立派な理由がある。

しかし、これらは米国が作ったルールであり、中身はほとんどが米国の風土を前提とした、米国企業と投資会社に有利なものだ。米国企業は、その成長性を保持するためには、Ｍ＆Ａという手段を、国の垣根と関係なく行使していく必要がある。米国の産業・金融業界は、このＭ＆Ａを進めるために、日本の企業にも一定のルールを強制しておく必要があったのだ。つまり、誤解を恐れず言えば、米国は日本企業を自国の企業の傘下に入れるために、ルールを適用したようにさえ見える。

いまや、日本はそのルールに「占領された」と言える。

にもかかわらず、日本の学者たちは諸手を挙げてこのルールに賛成し、例えば、ＲＯＥという指標の重要性を書物で説き、あるいは、買収防衛策を悪とし、それが理解できない企業は市場から退場すべし、というほどのムーブメントを作り、もはや言論の自由は無いに等しい。

本書の主旨の一つは、そのような「作られた常識」を論破することにある。

日本の学者たちは、「あまりに素直」で、批判精神に欠けている。

詳細は後に譲るが、経済学や経営、資本理論のほとんどには欠陥がある。それは、世界中を同一条件、同一前提下に置かないと、理論が成立しない、という一面だ。また、古典的学説では、すべての経済主体が経済的利益を選考する、という前提もある。低リスクと高リターンを求める、という、一見、当たり前のような前提にも罠はある。

根本的にそれらの前提は間違っており、世界の需要はより多様性に富んでいる。近時、より複雑な嗜好や効用を前提としようとする理論がようやく重視され始めたが、これらはその複雑性がネックとなり、一般社会に浸透しづらい。世界の資本市場で声高に主張されるのは、わかりやすい、旧来の単一モデルである、という状況から、世の中はなかなか脱却ができないのだ。というより、多様性を認めてしまえば、ＲＭ戦略が成立しない、ということを考えれば、多様性を認める理論は、大国にとって都合が悪い理論である、ということができる。結果として、いつまでも単一条件前提の古く、現実を軽んじるような経済モデルが、世界で幅を利かせているのかもしれない。

これらのルールは、一見、もっともな理屈に基づいている（そうでなければ他国に強制できない）一方で、他国の文化や環境を無視している分、浸透には一定の時間がかかる（これも占領の重要な条件だ）。その間に、ルールを作った側は先行し、かつ、自分でまた都合の良いルールを付け足していく権利（既得権となっている）を保有する。

私は、このことを「悪魔はいつも真っ当なモノの形をしている」と説明している。

ここにＲＭ戦略の「戦略性」があり、日本が真似できない壁がある。

これから説明していくように、日本はこのＲＭ戦争における敗者でもある。そして恐ろしいことに、ＲＭ戦略の敗者は、時として、負けたことに気がつかない場合もあるのだ。

こういった現実に気づいてもらい、政治家、日本の証券金融業界、そして企業経営者、行政に関わる人々が、ＲＭ戦争下で日本を生き残らせていく手法を、考えていくように変わってもらうことが、本書の目的でもある。

④ 現代ＲＭ戦争の父、ニクソン

現代ＲＭ戦争の緒をつけたのは、ニクソン大統領だ。ベトナム戦争の終結とともに、ニクソンは、意図するか否かにかかわらず、武力での覇権争いを、ルールマネジメントの管理による争いへ転換し、結果として世界を変えた人物の一人となった。

ニクソンは在任中に、自由貿易につながる、為替の市場化というルールをマネジメントすることに成功し、この流れはその後、15年間にわたって米国の主要なRM戦略を形成する。

そして、その背景には、ベトナム戦争に続く、大不況があった。

その不況からなんとか脱する為、米国は、それまでブレトンウッズ体制で管理してきた「為替」に市場システムを導入し、変動相場制に移行する決断をした。

米国は、第二次世界大戦後の世界経済復興の為、そして自国の覇権のため、ドルを、唯一金と交換できる通貨として定め、基軸通貨としてその地位を確立していた。これが、第二次世界大戦後の枠組みの一つ、いわゆる「ブレトンウッズ体制」だ。しかし、その体制こそが、強いドルを演出するとともに、米国の貿易赤字を急増させてきたのである。

しかし変動相場制への移行は、他国の反発を買う恐れがあった。ドルがもし大きく下落すれば、米国以外の国々は輸出産業に痛手を被るからだ。つまり、米国は、変動相場制の実施に当たっては、他国をうまくマネジメントする必要があり、その為には、自由貿易と市場重視経済の推進という名目を掲げなくてはならなかった。

このニクソンのRM戦略＝ニクソンショックについて、説明を加えていこう。

1960年代半ば、米国では、ベトナムからの撤退が続く中、経済状況は、悪化の一途を辿った。それまでの米国は、第二次世界大戦後における、資本主義の盟主としての立場を確立するため、「強いドル」を演出し続けていた。ドルが強ければ、世界の資本は米国に集まる。当時のライバルは英国だ。第二次世界大戦後の状況は、新世界である米国が、それまでの大英帝国のポジションを奪取するための、二度とないチャンスである、と、米国の政治家には、映っていただろう。ケネディの登場などもあり、米国民も、その熱意に燃えていた時期だと言ってよい。

しかし、戦後しばらくはこの政策は米国に利したものの、ベトナム戦争後の不況により、「強いドル」はやがて、米国にとってのハンディキャップとなり、徐々に貿易不均衡（米国の貿易赤字の増大）につながっていった。すると、米国国内の有力企業は、ドルが強いことに対する対策をうつことになる。

それが、海外への拠点の脱出だ。

例えば、日本に進出している米国企業にとっては、如何に素晴らしい製品を生産し、日本でそれを広げたとしても、ドル高、円安になれば、同じ円建て価格で売ったときの、ドルの受取額は減ってしまう。それを避けようとすれば、現地での円建て価格を値上げせざるを得ず、結果として売れなくなるか、少なくとも競争力は低下する。

そこで、有力企業の多くは、海外に拠点を持ち、現地通貨でそれを受け取り、現地で使うことを考える。そうすれば、為替の影響から逃れることができるからだ。そして海外に生産活動の現場を移すようになる。

しかしその結果、国内産業は空洞化する。すなわち、米国内の雇用、消費量は減少する。こうしたことが大規模に起きたことにより、不況と物価上昇が同時に起こる、いわゆる「スタグフレーション」が米国経済を襲った。

当時、米国ではベトナム戦争の失敗や貧困対策費の高騰によって、インフレが進行していた。このインフレ（物価上昇）進行により、消費者は、海外の安価なものに飛びつき、米国内の産業はさらに崩壊を早めていく。米国の消費は海外企業を利し、米国内の雇用・所得に悪影響を及ぼしていく。

これが、当時のスタグフレーションのメカニズムだ。

一方、日本やドイツは、戦勝国たちの疲弊を他所に、着実に国力を回復させていた。その結果、貿易不均衡問題は、戦勝国と敗戦国の間で激しくなっていったのだ。

この貿易不均衡問題は、１９６０年代後半にはすでに、緊張感を高めていた。

１９７０年代になると、「自由貿易」という錦の御旗を掲げる米国が、ＧＡＴＴ体制によってそれを強力に推進しようとするが、これも、決して有効な結果を出すことができなかった。

こうして、「強いドル」の副作用が、米国内の経済を苦しめていった。そこで、ホワイトハウスは、この強いドルの修正、すなわちドル切り下げについて、真剣に検討を始めた。

ベトナム戦争後、不況に陥った米国には、もはや唯一の基軸通貨として、他国の通貨を買い入れ、金と交換するだけの力を失っていた。とはいえ、その地位を手放せば、米国の経済は助かるが、「米国中心の戦後経済復興」というパラダイムを放棄しなければならなくなる。

この矛盾、すなわち、経済的なメリットとリーダーシップの喪失をなんとか克服し、どちらをも手放したくない米国は、新たなルールを、世界に適用する必要に迫られた。ブレトンウッズ体制を放棄することについて、新たな理論と新たな正義を主張しなくてはならなかったのだ。ブレトンウッズ体制の放棄を正当化し、新たなルールの提唱者にならなければ、米国は世界の主導権を失いかねないのだ。

そのための戦略（＝ニクソンショック）を米国は練っていた。


私は30年以上「市場」に関係してきたが、「市場」には、常に先見性がある。このニクソンショック直前にも、米国が何か考えてくるだろう、という雰囲気を先取りし、為替市場では、マルクや円には、常に上昇圧力がかかっていた。まず、１９７１年5月、西ドイツマルクに、投機的な買いが集まり、ついにドイツマルクが変動相場制に移行される。

そうなると、次の標的は日本だ。

市場参加者が日本円の動向に注目している間にも、ニクソン政権は、ドル切り下げの戦略を練っていた。そのポイントは、ドル金の交換停止だった。そしてその実務とリリースについて、検討を重ねていた。当時のニクソン政権には、知恵者がそろっている。世界情勢の力学を熟知しているキッシンジャーをはじめ、優秀なスタッフが、その理論構成を行った。

日本政府は、円高への危機感を強めていた。日本の産業は、当時も今も、海外の需要（輸出）で成り立っている部分が大きい。ドル切り下げが現実となり、円高になれば、日本製品が海外で価格競争力を失いかねない。その損失は、どれほどのものになるか知れない。

当時の日本は、今よりもはるかに大きな保護的政策をとっており、確かに、「自由貿易を推進している」とはとても言えない状況にあった。

農業製品、畜産製品は、国内産業保護のために輸入障壁を作り、第三次産業でも、金融ビジネスなど多くの分野で海外企業の進出が実質的に出来ないようになっていたのだ。

そして、その分、米国の打ち出す政策によっては、日本経済は壊滅的な影響を受ける可能性があった。

米国は、黙々と、日本に対するプレッシャーを高めてきていた。日本がフェアな貿易をしていないから、米国が苦しくなるのだ、というプレッシャーで、日本政府を潰そうとしていたのだ。

１９７１年になると、日本の政策当局は日を追うごとに、追い込まれていった。

日本政府も、米国のご機嫌を取る政策を次々に発表する。

１９７１年６月、政府は急ぎ、「総合的対外経済対策」を打ち出し、輸入自由化の促進など８項目を発表する。しかし、それは逆に日本政府の認識の甘さを、米国に知らしめるようなものだった。

これらの日本政府の経済施策は、ほとんど無視された。

この6月下旬に開催されたＢＩＳ（国際決済銀行）月例会に出席した、日銀理事の井上四郎は顔をこわばらせ、

「世界の通貨問題は、まさに日米問題に集約されている」

と言ったという。

つまり、世界中がドル円のレート切り下げに注目し、戦後世界における新たな通貨バランスは、米ドル対円の2国間問題に集約されている、ということだ。

井上は、日銀総裁、大蔵大臣を歴任した、井上準之助の四男で、1967年10月から外国局担当理事となっていた。父、井上準之助は、戦前、大蔵大臣として日本の金解禁を進め、結果として1929年の大恐慌に巻き込まれてしまい、日本経済は危機に陥った。それだけならまだしも、井上準之助はその後、不況下の経済政策に不満を持つテロ組織、「血盟同盟」と呼ばれた集団に暗殺されてしまう。

そういった一家にあって、井上四郎もまた、父とは違う形で「金と通貨の交換」というテーマに翻弄される運命となる。

井上は、この1971年6月に政府が発表した「総合的対外経済政策」について、「その程

度の対策発表では、どうにもならない雰囲気だ」ということをその身に感じていた。

そうした中、7月27日には、日本当局は公定歩合の引き下げと財政投融資を発表する。対米政策として、やれることはやった、ということかもしれないが、これはもう、無駄なあがきとしか言えない政策だったといえる。

この間にも、フランスを始めとする各国は、米国の異変を感じ、ドルを金に次々と変えていた。もはや、米国に十分な金の供給力は残されていない、というのは公然の秘密になりつつあったのだ。

8月13日、英国が30億ドルの金との交換を米国へ要求した。このニュースは、政財界を震撼させた。このディールによって、「必ず、米国は何か仕掛けてくる」という雰囲気が、世界経済の空気を震わせていたことだろう。

この日、ニクソン大統領は、キャンプデービットに、コナリー財務長官、バーンズFRB議長、その他、米国政界で以降活躍するジョージ・シュルツ（後の国務長官）、ポール・ボルカー（後にFRB議長）ら16人を集め、ドル金交換停止について最終的なミーティングを行い、4時間にわたる綿密な討議を行った。

この後、奇しくも終戦日の8月15日（日本では16日だったが）、ニクソンは、ドルと金の交換停止と、輸入課徴金を発表する。

ニクソンショックだ。

井上四郎は、他の日銀スタッフと共にその報を受け、「ついに来た」と思ったに違いない。16日の為替市場はすでに動いていたが、翌17日、日銀では、為替市場を閉めてしまったほうが良いのではないか、という意見がスタッフから出され、関係者による緊急会議が招集される。

この緊急会議は、大蔵・日銀間での、歴史的な大喧嘩になったと言われている。議論の目的は、もちろん、市場を閉めるか否か、だ。

大蔵省の鳩山威一郎事務次官は、「閉めろ」派で、それに反対する日銀との間で大激論となった。鳩山は、3期にわたり総理を務めた鳩山一郎の息子であり、のちの総理大臣となる鳩山由紀夫の父親でもある、超サラブレッドだ。この翌年、総理大臣となる田中角栄の「日本列島改造論」を主導するブレーンとなったのも彼だ。

この大物を相手に、日銀は抵抗した。

さらに、IMFの鈴木理事も「市場を閉める」よう、会議前にわざわざNYから電話を入れてきた。

しかし、井上ら日銀幹部は、市場の信頼を守るため、「閉めない」ことを主張した。もし閉めれば、銀行はただ手をこまねいて損失の拡大を見ているだけの状況に追い込まれる。井上らには、その犠牲を民間に強いるのが我慢できなかったのだ。そこへ思わぬ加勢がきた。7月まで大蔵省財務官であった柏木雄介だ。柏木は、鳩山の同期で、財務官僚としての能力に加え、英語の堪能さにおいて当時の日本ではトップクラスの人物と評されている。鳩山と柏木、という日本トップの若手官僚二人が、ここで、超大物政治家たちと真剣な議論に及んだのだ。

市場を開ければ、ドルが暴落し、混乱に陥るのは間違いない。しかし一方で、開けなければ、銀行や民間事業者にとってドルを換金する手段はなくなってしまう。手をこまねいてただ評価損失が拡大するのを見ているだけでは、市場が存在する意味がない、というのが、井上らの主張だった。

ちなみに、この前日、欧州各国はすでに市場を閉めており、日本だけが別の動きをするなど、今では到底考えられない。

しかし結局、井上らの「気迫」が勝り、東京市場は開かれ、日銀は雨あられのドル売りに対して360円で、これに買い向かった。この結果、日銀は当時の銀行の損失約2200億円をカバーしたと言われている。

本論から少し離れるが、このニクソンショック時の日銀の対応は、現在の日銀からは、ちょっと想像ができない。このときの日銀は、海外と足並みを揃えず、大蔵省とも対立を辞さず、日本の金融システムを守るため、自らの考えで、犠牲を払って市場を開けたのだ。つまり、当時の日銀には、まだ米国や日本政府、大蔵省に蹂躙されない、独立した政策判断をする、という気概があった、ということではないだろうか。

ちなみに、井上四郎は、この翌年からアジア開発銀行総裁として、アジア開発基金の設置などに尽力し、同地域の経済発展に大きな貢献をすることになる。

ニクソンの政策に話を戻そう。

ニクソン大統領は、1969年の大統領就任演説で、

「我々は、海外における戦争での破壊から、米国本国で本当に必要とされているものへ、富を移転させなくてはならない」

と言った。

言うまでもなく、この演説はベトナム戦争からの撤退を意味している。

そして、彼は戦争の代わりに、「米国本土で本当に必要とされているものへの富の移転」を行う方法を考えていた。

その方法を結果として具現化したのが、「ニクソンショック」だった。

現代のRM戦争の幕開けは、1971年8月15日、このニクソンショックの発表により、勃発したのだ。

ニクソンは、「米国を実態よりも強く見せること」のデメリットが、そのメリットを上回ってきたことを認識していた。

彼は、安全保障策では、1969年にベトナム戦争から撤退を開始し、その2年後、1971年には経済政策として、ニクソンショックを発表した。ちなみに、その翌年、1972年には、ニクソンは沖縄を日本に返還している。

このように、ニクソンは、それまでの米国の戦略を改め、新たな世界戦略を構築し始めた人物だと言える。兵器による戦争を縮小し、経済システムを利用したRM戦争を始めた人物となったのだ。

彼の武器は兵力ではなく、自分で決めることができる「資本主義のルール」だった。その参謀として名高いのは、キッシンジャー氏であり、この頃の外交政策を企画していたのは、彼だと言われている。

彼ら米国のエリートが立案、実行した、経済政策としてのニクソンショックと通貨の切り下げについてもう少し考察してみよう。

ニクソンショックとは、一言でいえば、米国が金とドルの交換を一時停止する、という一方的な措置だ。

それまではドルが唯一、金との交換ができる通貨であり、他の通貨は、ドルとの交換レートを固定されていた。これが前述した「ブレトンウッズ体制」だ。ブレトンウッズ体制は、

1945年以来、為替の安定を通じて、戦後の西側諸国の経済発展・復興に大きく寄与した。

輸出がほとんど出来ない状況の日本が、米国からの輸入品を買うには、ドルを購入しなくてはならないが、輸入超過の状況では、変動相場制の下なら、ドルの価格はどんどん上昇してしまう。その結果、輸入品の価格は上昇し、すぐに人々の生活は厳しくなってしまう。しかし、固定相場制の下では、いくらドルを買っても、為替による物価上昇は起きない。

一方で、もし日本の産業が回復し、輸出が増え、輸入を上回り始めると、日本は輸出によってドルを受け取り、それだけ米国内にはドルが不足する事態となる。さらに他国が受け取ったドルを金に換えるよう、米国に要請すれば米国の金保有高はどんどん落ちていく。

この傾向は、米国企業が海外に拠点を移したことによって、拍車がかかった。

ブレトンウッズ体制を維持するには、米国ドルがいつでも金と交換できなくてはならない。しかし、他国の経済が強まるに従い、米国の金保有量は減少し、ついに米国には、ドルと金を自由に交換できるほどの保有ができなくなったのだ。

そこで、ニクソンは金とドルの交換を停止した。

このときのテレビ演説で、ニクソンはこう言っている。

「(日本など他国は) 経済的に強力になった以上、世界の自由を防衛する重荷の正当な分担を引き受けるときがきた」

ニクソンは、ここで、通貨の市場主義化を、自由貿易と絡め、「世界の自由」とまで昇華させ、その大義名分をバックに、日本やドイツにその「ルール」（=変動相場）を強要したのだ。これまでのブレトンウッズ体制には、米国自身の都合があったはずだが、そこには一切触れずに、状況の変化に応じて、米国はルールを変え、それを強要した。つまり、強大な国力をバックに、ルールを勝手に変え、他国に強要したのだ。もし、日本が米国と敵対する立場なら、戦争が起きても不思議ではない。

米国でも、特に共和党は、このブレトンウッズ体制までは、保護主義に傾注していた。それは、英国の国際競争力におびえていたからだ。しかし、ブレトンウッズ体制以来、米国は、自信を持ち始めたのだ。そして、強者にとって有利な理論、「自由貿易」というものを理想として掲げるようになり、「GATT」の設立に至ったという経緯がある。

このように、常に自前の「正義」を持ち出し、一方的にルールを決定し、圧力をかけるところが、その後も繰り返される「RM戦争」の宣戦布告のやり方の一つだ。

このニクソンショックにより、為替は、変動相場制に移行した。米国が、ドルを基軸通貨として世界の秩序を維持してきた、というプライドを捨てた、最初の事例と言える。

5 日独の反撃とその結末

ニクソンショック以前の世界のマネジメントシステムにおいては、米国が世界唯一の基軸通貨を発行する、という利権と名誉を手にする代わりに、固定為替レートを維持する、というルールが確かに存在していたはずだ。

その名誉を米国が放棄し、ドルの切り下げや輸入課徴金を実施すれば、日本企業には痛手になる。

1ドル＝360円の固定レートのとき、日本の会社が1ドルのネジを米国で売れば、360円が手に入る。しかし、1ドル＝300円の円高になれば、同じ360円を手にするには、米国での売値を1・2ドルに値上げしなくてはならない。しかも、そこに輸入課徴金が10％乗るのであれば、1・32ドルにしなくてはならない。買い手は、いきなり使用するネジメーカーを変えるわけにいかないので、初めは、1・32ドルでもそのネジを買う。その結果、一時的に日本の会社の輸出額は増加する。しかし、買い手はやがてネジメーカーを変えるか、値下げを要求する。これによって、ネジ業者の輸出額は減ることになる（Jカーブ効果）。

このような為替レートの調整は、当時の米国にとって、安価な労働力などを武器に輸出を活発化させる日本などから、自国の産業を守るのに有効な政策だった。また、変動相場制には、「自動調整機能」があるとされている。つまり、変動相場制の下なら、日本の輸出量が多い分だけ、輸出業者によるドル売り円買い（輸出業者は、米国で売って得たドルを国内で使うために円に換える必要がある）が増えることによって、円高に調整される（現代の市場では、実際には投機的取引の量が多いため、このような調整機能は発揮されにくい）。それこそが、「市場主義」の最大のセールスポイントでもある。ブレトンウッズ体制では固定相場であり、その大量のドル売りを支える無理が生じていたのだ。

しかしその後、このニクソンショックにおいて最大の影響を受けた日本とドイツは、対抗措置を講じようとする。為替相場の再固定化がその狙いだ。米国以外の国は、やはり安定した固定価格を望んでいたのだ。日独をはじめとした各国がなんとか米国を説得し、固定相場を取り戻そうと動いた。

その結果、各国が為替市場安定の必要性を説き、米国を含めた10カ国によって、スミソニアン合意が生まれた。つまり、逆に新たなルールマネジメントを、各国が米国に押し付け返そうとしたのだ。

一旦、米国はその提案を受け入れ、各国は、その年の12月17日から米国のスミソニアン博物館で国際会議を開き、固定相場のレートを決めた。

しかし、こういった戦いに長けているのは、やはり米国だ。

米国は、スミソニアン合意で決まった、「ドル下落局面による固定相場の維持」を真面目にやる気は初めから無かったのだ。すでに米国は、「変動相場制こそが、自由貿易を支える仕組み」として、その考えを大きく転換させていた。結果からいえば、スミソニアンで決められた新たな固定レートは、有効な成果を得ることはできなかったのだった。

スミソニアン合意によって、一旦1ドル＝３０８円で決まった新ドル円レートは、長くはもたなかった。一度植えつけられたドルへの不安は短期間では解消されない。合意後やがて、ドルは不安定な動きをはじめ、結局、なし崩し的に、各国の為替レートは変動制に移行することとなった。

これが１９７３年2月14日の出来事だ。

スミソニアン合意と、後に紹介するルーブル合意は、それぞれニクソンショックとプラザ合意に対するストッパーとしての合意だったが、不思議なことにこの二つともが、博物館、美術館で行われたという共通点を持ち、この二つともが、なし崩し的に無効となっている。

いずれにしても、ニクソンショックの１９７1年8月15日後、たった1年６カ月の間に、戦後の為替秩序は完全崩壊し、変動相場制に移行したことになる。これが、米国の現代ＲＭ戦略の最初の勝利だった。

しかし、米国のこの勝利の効果は、長続きしなかった。これだけ米国が苦渋の決断をしたはずのニクソンショック後も、結局、日本経済は、その強さを失わなかったのだ。

１９７０年以降の為替と日本の貿易収支は、次のグラフのように推移した。

１９７１年から72年のニクソンショックによる為替調整によって、１９７２年に89億71百万ドルだった日本の貿易収支は、１９７４年には、14億36百万ドルまで減少する。しかし、旺盛なGDPの成長が続く日本では、1975年から再び貿易黒字は増え始め、1978年には、貿易収支はなんと345億ドルを超えてくる。

ニクソンショックという爆弾を世界規模で落としたにもかかわらず、日本経済は、なんとか生き残り、そこからまた、短期間のうちに米国への脅威を発し始めたのだ。

1970年代後半になると、対日赤字は、再び米国の最重要課題となり、日米間に全面的に噴出することになる。

そして米国は、日本に対して、明確に「大人の顔」を放棄したのである。ついに米国による「自由貿易」実現の為のRM戦略は、その第2幕が上がった。

米国は、個別の国に対するRM戦略を開

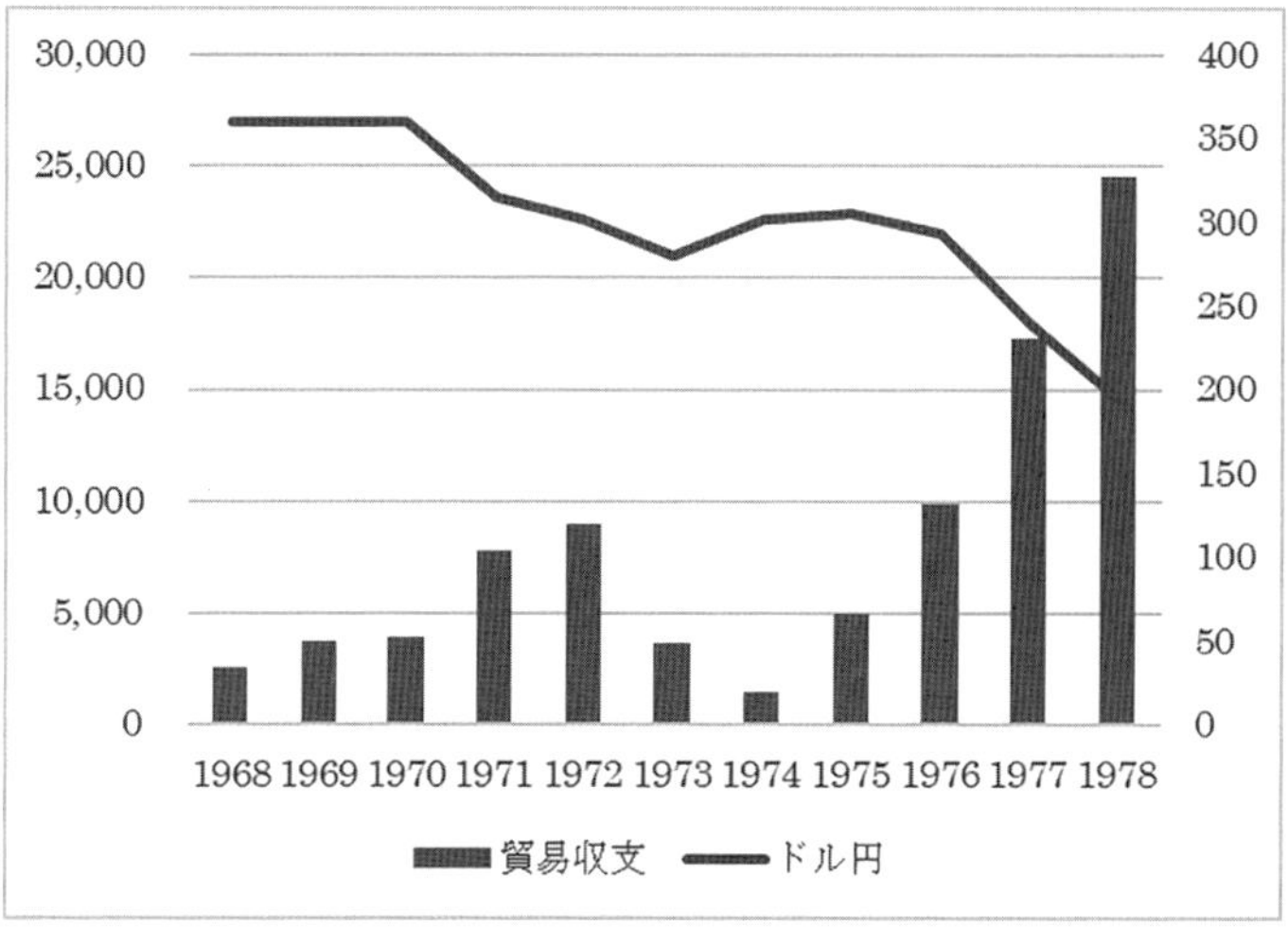

貿易収支とドルの推移（1968〜1978年）

単位：貿易収支＝百万ドル（左軸）ドル＝円（右軸）

始したのだ。

これが、日米貿易摩擦問題の始まりだった。

⑥ 米国が切り札とした二つのルール

ニクソンショックから6年がたち、再び日本の貿易収支は大きく黒字を計上し始め、逆に米国の貿易赤字は、巨額な財政赤字と共に「双子の赤字」として、再び国内問題化をしていた。

そこで、米国は「自由貿易」の旗印の下、「為替の市場化」に留まらず、「非関税障壁の撤廃」「ミニマムアクセス」という二つのルールをマネジメントすることで、この状況を脱する決意をする。

まず手始めに、米国は、日本の農産物に対して、「保護主義的である」として、個別攻勢をかけてきた。その代表が、「牛肉・オレンジ」問題だ。

米国の主張は、至極簡単だった。

「米国の牛肉とオレンジを一定数量買う約束をしろ」

いわゆるミニマムアクセス（最低輸入数量の保証）の強要だ。

当時世界が「目指すべき」とされていた自由貿易への典型的な道程では、まずは各国が非関税障壁の撤廃をすることが、1stステップとされていた。しかし、どの国も、すぐに非関税障壁を撤廃できるわけではない。国内産業保護のためには、一定の保護政策が必要なのだ。そこで、この牛肉オレンジ問題で米国が採った戦略、すなわち、「非関税障壁をすぐに無くせないならば、最低輸入数量（額）を保証すべし」という原則?は、「ミニマムアクセス」と呼ばれ、やがて、1986年のGATTウルグアイラウンドにおいて、一つの認められた手法となる。

この新ルールを、米国は駆使して、RM攻勢を激化させた。

ミニマムアクセスの提案に日本政府は折れ、1978年の牛肉オレンジ第一次交渉では、1983年までの輸入数量目標が決められた。牛肉3万トン、オレンジ8万トン、オレンジジュース6500トンが、その数値として定められている。

そして1983年になると、さらに目標のバーは上げられた。オレンジジュースについて、88年度までに年間6900トンずつ増加させる、という約束をさせられたのだ。

こうなると、この農産物における「前例」が、他の分野に波及するのは、当然の成り行きと言える。自動車の分野でも、1981年には、日本は米国の圧力により、対米自主輸出規制を行う。以降、81〜83年度は年間168万台という、数値面での自主規制が継続された。

しかし、自動車の分野では、米国内でもまだこの時期、プライドを守る動きがみられたのも事実だ。

1980年、全米自動車労働組合（UAW）とフォードは、日本車について、アメリカ国際貿易委員会（ITC）に対し、通商法第201条の適用を申請している。しかし、このとき、ITCは、日本にシロの裁定を行った。ITCは、米国自動車産業の危機は、石油価格の上昇（二度にわたる石油危機）と小型車への消費者の嗜好変化にある、と、ごく真っ当な結論を出したのである。

「フェア」を重視する米国のプライドが、ここには垣間見える。

しかし、こういった小さな正義、小さなプライドの発露は、やがて米国の大きなRM戦略の中に埋もれていく。

米国はその後、日本の自動車メーカーに対して、半ば強制的に、米国での自動車生産すなわち現地生産を提案した。彼らは、輸入数量規制をちらつかせながら、この判断を迫ったのだ。結局、トヨタ自動車は、GMと提携し、乗用車の現地生産を開始することになる。

このように、「自由貿易」への過渡的な手段として、後にウルグアイラウンドで話し合われる「例外なき関税化」と「ミニマムアクセス」という手法が、1978年の牛肉オレンジ交渉から1986年のウルグアイラウンドの間に、RM戦略の手段として、正当化されるようになったのだった。

第二次世界大戦のもともとの原因は、経済のブロック化、つまり保護主義の蔓延にあった。この反省に立ち、各国は、「自由貿易の実現」という共通の価値観を形成し、徐々にそこへ向かって歩み始めた。この「自由貿易の実現」は、米国がこの後、何度も他国へＲＭ戦争をしかけるうえでの基本的な理由、バックボーンとなった。

そして、このバックボーンを用いた具体的なＲＭ戦略には、大きく二つの手法があった。一つは連合国、特に米国主導によるＧＡＴＴ、ＷＴＯ体制による非関税障壁の撤廃（及びミニマムアクセス）、そしてもう一つは、為替市場への介入だ。

ここまで紹介してきた「例外なき関税化」や「ミニマムアクセス」は、ＧＡＴＴ、ＷＴＯ体制を利用したＲＭ戦略であり、後に紹介するプラザ合意は、為替市場の介入の代表的事例だ。

プラザ合意についてはこの後の項に譲ることとして、ここではＧＡＴＴ体制について、補足の説明をしておこう。

「貿易自由化」を進める、具体的な国際的体制が、ＧＡＴＴ（関税及び貿易に関する一般協定）体制、それに続くＷＴＯ（世界貿易機関）の体制だ。これら世界的機関によって、自由貿易を目指す、というルールマネジメントは、第二次世界大戦後すぐに、米国によって敷かれた。日本は１９５５年にＧＡＴＴに加盟し、自由貿易を進めるメンバーとなった。

ＧＡＴＴの基本的コンセプトは、関税以外の貿易障壁をなくす、ということだ。つまり、自由貿易実現への道程として、まず唯一の貿易規制手段として「関税」のみを認め、その後に、関税を徐々に無くしていく、という手法を取ろうとしたのだ。

当時の日本にはまだ、非関税障壁、具体的には輸入数量の制限品目（まったく輸入枠が無い品目も）が多く存在したが、GATTでの話し合い（ラウンド）を通じて、これら輸入制限品が、順次、関税化（関税をかけて輸入制限を廃止する）されていった。

とはいえ、各国間の意見の食い違いは多く、かつ、その対立は激化していく。1986年に始まったウルグアイラウンドで、それは頂点に達した。このラウンドでは、主に農作物についての話し合いがもたれ、米国とEC（当時）の間の対立と、日本のコメに対する取り扱いが、激論を呼んだ。自由貿易を旗印にRM攻勢をかける米国に対し、欧州、日本は、防戦した。結果として生まれた妥協策は、農産物に対する、「ミニマムアクセス（最低輸入数量の設置）」と、「農作物の例外なき関税化」だった。

しかしこの妥協策は、米国にとっても不本意だった。そして、このような「互いに煮え切らない結末」が、WTOを生んだと言うことが出来る。

ウルグアイラウンドの反省は、「自由貿易を世界規模で推進するには、単なる各国の集合体では不十分だ」ということだった。そこで、より強力な紛争解決能力を持った「機構」を正式に立ち上げるべき、という考えが支配的になり、1995年、GATTは発展的に解消され、その役割を国連の組織下となるＷＴＯ（世界貿易機関）に移行させた。

しかしその後、ＷＴＯについて、紛争処理委員会が結論を出すのに莫大な時間がかかっていることなどについて、米国などは不満を持つようになる。特にトランプ政権下では、そのシステムの改革が叫ばれ、トランプ大統領は、組織的なアプローチを捨て、１対１のアプローチによるＲＭ戦争を仕掛けるというスタイルに集中した。しかしそれは、２０１８年頃の話だ。

⑦「プラザ合意」への道

話を１９８０年代半ばへ戻そう。牛肉オレンジ問題、自動車問題などの個別交渉を軸に、米国は、日本への集中攻撃を始める。ミニマムアクセスというルールを活用し、自由貿易を絶対正義とした戦いに決着をつけに来たのだ。

１９８５年は、まさに激烈なＲＭ戦争が開始された年となった。

牛肉オレンジの持続的交渉と共に、１月のＭＯＳＳ協議（市場志向型分野別協議）開始、６月の米国半導体協議会による日本製ＤＲＡＭに対する通商３０１条提訴と、米国は次々に対日貿易赤字を撲滅すべく、手を繰り出した。

当時、レーガン政権下での積極的な財政政策（レーガノミクス）などにより、米国は、双子の赤字（貿易赤字と財政赤字）に苦しんでいた。その解決の為、レーガンはまず、貿易赤字の改善に挑戦する。この挑戦は、自身の経済政策への批判を海外に向けさせるための作戦でもあった。

特に、対日赤字については、これまでニクソンショックに始まり、牛肉オレンジ、自動車、様々な交渉を行ったが、その成果が思うように出てこなかった難問でもある。この問題をアピールし、解決を呼びかけることで、自身の国内での立場を強化する目的があったかもしれない。

その狙いに反応したのは、米国議会だった。この難問に対して、これまで紹介してきたような二つのルール「非関税障壁の撤廃」と「ミニマムアクセス」を武器に、レーガンはこの赤字解消を狙ったが、その成果が問われる前に、米国では議会がさらなる対日強硬策を主張し始めたのだ。

個別分野での輸入制限を中心とした、対日報復法案、通商法３０１号の発動がそれだ。

しかし、この報復法案は、ＲＭ戦略としては正当性に欠ける部分がある。それは、たとえ報復とはいえ、自国までもが自由貿易の精神から外れることを宣言することになるからだ。

そこで、レーガンは、議会の動きに対して、自分と議会の立場を切り離した。あくまで自身は「自由貿易」の推進者であり、正当な自由主義者である立場を守ろうとしたのだ。そこでレーガンは、中曽根に対して、米国議会に共同で対処し、自由貿易を守ろう、という立場に立ってみせた。

中曽根首相は、レーガン大統領との連携をパフォーマンスしながら、対日報復法案を決議しようとする議会の動きに対抗するため、市場開放のための「アクションプログラム」を決定し、前倒しでの実行を試みる。ニクソンショック直前の日本の財政政策と同様の展開が、ここでも行われたのだ。

しかし、この日本のアクションプログラムを不十分とする米国議会の動きを見て、レーガン大統領も、一定の分野について限定的に通商法３０１条を自ら発動し、議会を鎮静化しようとした。

このように、プラザ合意前夜、米国議会による対日報復法の決議を避け、保護主義経済に反対する、という「資本主義を守る戦い」が、レーガン&中曽根vs米国議会という構図でなされたと、説明される。

しかし一方で、このプラザ合意が行われた１９８５年年初め、レーガン大統領は財務長官を、米大手証券会社メリルリンチの経営者であった市場主義論者のリーガンから、ベーカーへ変えている。このことは、すでにこの時点から、市場第一主義の否定、ドル高政策の変更、そして為替市場への介入が既定路線化していた可能性が高い。

つまり、レーガンが米国議会に対する対策として中曽根と同盟していたかのような構図は、そもそも演技であり、それ自体が米国の戦術の一部であった可能性もある。

結局、それでも日本が市場開放に積極的ではないと見た米国は、ニクソンショックのときと再び同じ手をうつ。

為替レートのドル切り下げ＝プラザ合意だ。

ニクソンショック時には為替レートは固定制であったため、ドル切り下げの為には単に交換レートを変えればよかったが、このときは、為替は変動相場になっていた。したがって、ドル切り下げは、市場への円買いドル売り介入によって、行われなければならない。

このことは、実は「自由主義」「市場主義」を掲げる米国にとって、すんなりとは喉を通りにくい政策だと言えた。RM戦略上、ニクソンショックで固定相場を否定し、市場主義の為替レートこそがルールだ、と言ったにもかかわらず、それから時間が経ったとはいえ、今度は、為替相場に対する人為的な介入を主導すれば、それはルールマネジメントではなく、単なるエゴにしか見えない。

これをやるには、どうしても、理屈が必要だった。しかも、このように変動相場制における市場介入の合意は2国間では不十分だ。先進各国の同意か、少なくとも、介入には参加せずとも、知らせておく必要がある。つまり、自由主義主要国を納得させられる理屈が必要となったのだった。

そこで、米国はまず、当事国である対日本の根回しとして、円ドル委員会の設置を行った。

それ以降、米国は日本との対話でそのルールチェンジの大義を構成していく。

もっとも、このことについて、明確な米国側の主張の記録は見当たらない。しかし、日本側で出てきたいくつかの証言が、そのヒントになるだろう。

プラザ合意後、日本の元高官から、「ドル円介入は、実は1985年になって日本側から提案したことであり、最初、米国側はそれに対して否定的であった」という発言が出てくる。

この証言は、米国がルールを変えたのではなく、日本側からの要請であった、とするものだ。

また、日本の他の元官僚からは、「そもそも日本はこの当時、円安を維持しようと為替操作を行っており、プラザ合意による介入は、市場を逆にただすものだった」という発言もある。

こちらは、自由であるはずの為替市場を、日本側が操作していたので、それを正したのがプラザ合意だ、という理屈だ。

これら二つの理由が本当なら、プラザ合意は、あくまでニクソンショックと同じ、自由主義、市場主義というルールを維持するための合意であったと説明することができる。米国は、日本に対しておそらくそれらをプラザ合意の「大儀」として説明したのだろう。

もちろん、これら理屈には、いくつもの反論が可能だったはずだ。しかし、日本側は米国の説得に「洗脳された」のだった。

「ロン・ヤス」、と呼び合うレーガン・中曽根は、1983年11月9日、円ドル委員会の設置に合意し、そこからドル切り下げの合意へと向かっていく。

このとき、ドル切り下げについて米国内の理論的背景となったのは、円ドル委員会から2カ月ほど前に出現した「モルガンレポート」と言われるレポートだと言われる。

「ドル円の不整合……その課題と解決策」

と題されたこのレポートでは、為替のドル高こそが米国経済を苦しめている主原因であること、もしドルを安くしても、米国経済の成長性を維持することは可能であることが書かれていた、と言う。この主張が、結局、1985年9月の「プラザ合意」につながっていく。

ちなみに、このレポートは、「モルガンレポート」という題名ではあるが、それは、JPモルガンのことではない。これを主に書いた、キャタピラー・トラクター社のリー・モルガン会長の名前をとっている。

キャタピラー・トラクター社は、米国に大きな影響を与える企業の一つだ。同社は、トラックや戦車などに使われる「キャタピラ」を作っている企業で、第一次世界大戦時の戦車の製造に大きく寄与している。また、第二次世界大戦にも大きな影響を与え、戦後は、ベルリンの壁の制作や崩壊、パナマ運河の拡張工事、ワールドトレードセンターの建設、さらにはアポロ計画のエンジンを担当するなど、まさに米国や世界の歴史を作ってきた企業だと言える。

また、この企業の特徴は、米国以外の市場に強い、ということだった。同社製品は、190カ国で今も販売されており、その過半は米国外からの売上だ。

そういった企業だからこそ、世界中の経済情勢に精通しており、為替にも敏感だった。そして、米国の巨額の貿易赤字の原因は、他国、特に日本に対して圧倒的に高すぎるドルの価格だ、という自説を持ち、その理論は、ホワイトハウスを説得するには十分だった。

1985年6月、中曽根はベーカーと会い、レーガン政権と共に「自由貿易を守るため」円の実質切り上げに合意し、プラザ合意の下地はできた。そして、その後2カ月程度で、各国はこの合意を詰め切った。日本からは財務官の大場智満がこれに参加し、内容を決めていったのだ。9月15日には極秘裏にG5がロンドンで行われ、運命の9月22日を迎えることになる。一部の事情通によると、実は同様の会合が、この年の年初からすでに何度か行われていたが、米国の事情に迎合することへの反対から、ドイツ、フランスは、この合意に対して実行を渋っていたと言われている。

この間の各国首脳の行動は、のちに話題になるほど秘匿性が保たれていた。つまり、プラザ合意は、どんなメディアにも、スクープはおろか、予見すらされなかったのだ。大蔵大臣だった竹下登は当日、千葉へゴルフに出かけ、そのままの格好で成田空港からNY行の飛行機に搭乗し、日銀総裁の澄田は、その日風邪を引いたことにして公務を休み、マスクをして成田に現れた。

事前の秘匿性は、サプライズ効果による円高の実効性を狙ったものだが、G5という首脳会議形態もまた、効果を意識して、この時に初めて使われた。そして、その狙いは、抜群だった。

1985年9月22日、プラザ合意で、今後6週間にわたる、180億ドルもの円買いドル売り介入が発表されると、ドル円レートは、合意前の235円からわずか1日で20円急落し、その後125円まで到達した後、150円近辺で安定するようになる。約35%にもなる切り上げだ。当初の目標だった200円程度の円高では、毛頭収まらなかったのだ。


プラザ合意自体は、為替レートの調整の合意であり、奇策ではない。

合意内容は、参加各国の為替レートを10~12%切り上げる、という合意であり、それだけ見れば、大したことではない。しかし、市場の反応は、その合意の額面通りの実行だけで済まされなかった。

為替市場は、「投機家」に占領されており、彼らによって、まさに円は標的にされ、徹底的に市場から吸い上げられたのだ。この、当初想定していた以上の円高は、米国にとっては、期待外の成果であったに違いない。せいぜい180円近辺までの円高を密かに期待していたかもしれないが、150円となれば、貿易収支は大幅に好転する。

一方で、日本政府、行政が、米国のこういったRM戦略に対して、それほど抵抗をした跡が無いのも、不思議だ。プラザ合意後数十年経った今でも、当時の日本のエリート財務官たちは、当時を振り返り、前述のように、米国の主張をまるで自分の考えのように述べ、だからプラザ合意は正しかったのだ、という結論を導いて、これを正当化する。「米国1国による正義」は日本のエリート財務官たちをも洗脳したとしか思えない。

日本のエリートに欠けている視点は、これが、米国にとっては、「RM戦争」という名の日本相手の戦いである、ということだ。国益のためには、米国は、議会とホワイトハウスのマッチポンプも辞さない。それに対して日本の行政はどうであったか。正しい正しくない、ではなく、米国の戦略に対してどうこれを国益に転換したか、が為政者としての義務を果たしたかどうかの判断の基準となるべきだろう。

日本の行政官たちは、交渉のさなかに、当時の米国官僚たちとの「友情」や「絆」が出来ていったなどとの回顧をしているケースが見られる。こういったところにも、日本が米国流交渉術にすっかりやられていた、という事実が見え隠れする。これこそが米国ハーバード流交渉術と言われるやり方だ。相手の交渉官がいかに親切で、紳士的で、日本の特殊事情やアジア経済のことを理解してくれていたとしても、そのすべてが米国流の交渉術の一部である、ということを忘れてはいけない。

そして米国は、その理論づけにも、もちろん、万全の準備をしているが、実際は、その理論が真実なのかどうかは全く問題にしていないのだ。米国の利益になる理論をくみ上げることが重要なのであって、その理屈をもってしてノーベル賞をもらいたかったわけではない。

このようにして、プラザ合意は、ついに誕生した。

そして、この米国の戦略に対する日本がうった政策は、「最低の一手」であった。プラザ合意に合わせて行った国内の金融財政政策が、それだ。このとき、「円高対策の鎮痛剤」として日本政府が採った中心的政策、金利の低下誘導は、日本経済にとってその後、長年にわたって致命傷となった。

この、日本経済に打たれた注射は、鎮痛剤などではなく、恐ろしい麻薬だったのだ。その麻薬を打たれた日本の金融システムは、米国も予期しなかった、コントロールを失った巨大な化け物と化し、危うく米国自体をも飲み込むほどの凶暴さを発揮した挙句、最後には衰え、崩壊していった。

プラザ合意当時の行政側の責任者である大場財務官や行天国際金融局長（いずれも当時）の回顧を読むと、彼らは当時、プラザ合意が、その後の日本経済にこれほどまでの影響を与えると思っていなかったと思われる。

行天氏
「（プラザ合意は）ニクソンショックに比べ、国際金融情勢の観点からいえば、それほどの重大事ではない」
大場氏
「竹下蔵相も私も、２００円を割るくらいは仕方ないと思っていた」（プラザ合意後、ドル円は、１２５円台まで円高が進んでいる）
当時の日本のトップ官僚が、米国の基本的な戦略に留意せず、為替の協調介入を甘く見ていたことが、プラザ合意をさらにバブル生成と崩壊にもっていった根本的な原因と言えるのではないだろうか。

⑧千載一遇のチャンスだった、アジア通貨危機

プラザ合意以降、いわゆる「失われた20年」に沈んでいく日本だったが、実は、アジア地域においては、リーダーシップを発揮する大きな機会があった。それが、アジア通貨危機だ。20世紀終盤、不振にあえぐ日本経済を余所に、アジア諸国は高度成長を謳歌していた。そのうちの一つが、タイだ。

１９８８年には13・３％ものＧＤＰ成長率を記録したタイは、１９９３～95年にかけても、

まだ8％台の成長を続けていた。しかし、96年に5・65％と成長鈍化した後、96年にはマイナス成長に陥ってしまう。この成長鈍化の大きな原因の一つとなったのが、為替、つまりタイバーツの暴落だった。

1985年に、プラザ合意によって円高誘導を行った米国は、「ドル切り下げ」に一応の成果を出したとして、今度は「強いドル」政策に戻っていた。そして、その「被害者」となったのが、ドルペッグ制（ドルとの連動制）を採っていたアジア諸国だ。タイバーツもその一つで、米ドルに一定の連動をするペッグ制を採っていたが、プラザ合意の揺り戻しによるドル高に連動した「バーツ高」が起こると、タイの経済には変調が生じ始めた。輸出で経済が成り立っているタイのような国にとって、自国の通貨高は、輸出品の価格競争力がなくなることで、経済的に致命傷となりかねない。さらに、海外企業にとってタイは、低賃金で雇用が確保できる国だったはずだが、高度成長によってタイの給与所得が向上すると、彼らは、低コストの労働力を求め、徐々に、生産拠点を中国に移していった。

この状況に目を付けたのは、ヘッジファンドだった。ヘッジファンドというのは、単純に投資をするのではなく、割高なものを売り、割安なものを買い、そのサヤを取る。買いも売りも両方を仕掛け、しかもそこに政策的な対話の余地、アナウンスメント効果も残しながら、一つのムーブメントを作り、莫大な利益を上げていく。このようなヘッジファンドはやがて、この数十年後には、国家のRM戦略上、重要な役割を果たすようになるのだが、この当時はまだ、単なる「やっかいで強力な悪者投資家」であった。しかし彼らがその技術を磨き、密かに力をつけ始めたのは、このアジア通貨危機のころだろう。

実態よりも割高になっていたタイバーツに、ヘッジファンドは、「売り」の波状攻撃をかけた。このバーツ暴落を演じた際のヘッジファンドの動きは、見事としか言いようがない。真偽はわからないが、このときにいくつものヘッジファンドを連携させ、バーツを暴落へ追いやったのは、ジョージ・ソロスだと言われている。

ジョージ・ソロスは、1992年の英国ポンド危機で、世界に名を売っていた。ポンドが実態よりも割高だ、と判断していたソロスは、ポンドに巨額の空売りを仕掛け、20億ドルもの利益を上げたと言われている。

そして、その時のイギリスの状況と、この時のタイの状況には、一致している点がある。それは、いずれも、自国通貨が他国の通貨との連動性を持っていたが故に、経済実態とかけ離れて為替レートが割高になっていた、という点だ。当時、イギリスは、EU諸国との通貨統合を目指すため、EMS（欧州通貨制度）とERM（欧州為替相場メカニズム）を進めていた。これは後のEU設立につながるわけだが、ソロスは政治動向と経済実態の隙をついたのだった。

彼ら、ヘッジファンドたちが、その莫大な資金力により、米国を始めとする各国の通貨当局者と付き合いがある、という話は、よく出る話だ。日本でさえ、ソロスを政策関連の記者会見に同席させたことがある。おそらく、彼らを国家政策的に利用した国もあることだろう。ただし、ソロスたちの口は堅く、そのような明らかな証拠は今のところ無い。ＲＭ戦略的に言えば、彼らはあくまで「影の役者」つまり、特殊工作員的な立ち位置だ。

英国の話に戻ろう。当時、経済的に低迷を続けていたイギリスでは、ＥＲＭに参加することで高値に留まるポンドと実体経済の間で、差が出ていたのだ。その差を利用したヘッジファンドたちのポンドへの売り浴びせが、１９９２年9月16日のブラックウェンズデーと言われるポンドの大暴落を呼んだのだった。

この時に、大成功を収めたソロスのグループは、タイの状況を見て、「二匹目のどじょう」を狙ってきたと言える。

おそらく、ポンド危機で名を上げたソロスが動かせる資金は、１９９２年当時から5年を経過し、大きく膨れ上がっていたことだろう。一方で、バーツを買い支えるだろうタイ中央銀行は、イングランド銀行に比べれば、赤子も同然だ。

とはいえ当初、ソロスたちの仕掛けに対して、タイ中央銀行は善戦した。滝のように浴びせられるバーツ売りに対して、果敢に買い向かったのだ。そして、最初の戦いでは、なんとかバーツ防衛に成功した。

このとき、ヘッジファンドに腰を引かせたのが、

「日本がバーツを買い支える」

という噂だった。

この噂が、どのようにして生じたのか、今では知る由もないが、恐らくはタイやシンガポールといった政府筋の「風説」だったのではないか。実際、この時、日本当局がバーツを買い支えた事実はない。

そして、その後しばらくして、ヘッジファンドは、再度、売りを仕掛けてくる。これは、タイバーツが変動相場制への移行を決めたことをきっかけとしたものだった。タイ政府とすれば、今回のタイバーツの売りを呼んだ「ペッグ制」から脱し、変動相場制にすることで、タイバーツを徐々に適正な水準に落としていくことが目的だった。しかし、ヘッジファンドはそれを逆手に取り、とめどもない売りをタイバーツに浴びせたのだ。

このとき、タイのタノン蔵相は日本を訪れた。「日本介入」の噂の威力を前回で十分すぎるほど理解していた彼は、今度は本当に、日本に協力（介入または融資）を求めに来たのだ。しかし、当時の日本の蔵相、三塚は首を縦に振らなかった。その結果、タイバーツは暴落し、ついにはＩＭＦの支援を受けることになる。１９９７年７月、タイバーツはドルペッグをはずれ、８月にはＩＭＦが合計１７２億ドルの支援を行う。しかし、このタイバーツ暴落が、やがてインドネシア、韓国へ危機を波及させ、アジア通貨危機を勃発させることとなった。

このとき、日本は、アジアでリーダーシップをとる千載一遇のチャンスを棒にふったということが出来る。つまり、タイなどのドルペッグ通貨の連動性を解除するに当たり、中国に先立って、アジアの通貨政策を管理する組織を立ち上げるべきだったのだ。そのような政治的な動きと同時にペッグ制から離脱するのであれば、タイバーツはあれほどの売りを浴びせられることは無かっただろう。しかし、日本はタノン蔵相の頼みを蹴り、自らそのチャンスを潰したのだった。

アジア通貨危機がＩＭＦの管理下で処理され始めたころ、日本は遅まきながらアジア通貨基金（ＡＭＦ）の設立を訴え、その主導権をとるべく奔走したが、この動きは、米国によってやがて妨害され、幻の企画となった。米国はあくまで自国主導の世界を維持したいのであって、むざむざとその主導権を日本に渡すようなことはしないのだ。タイを救ってからこうした動きをするのと、見捨てておいてから動くのでは、その成果に大きな違いが出るのは、想像に難くない。

アジア通貨危機は、経済的な、あるいはＲＭ的なアジアの自治を確立するチャンスであったが、アジア各国や日本は、これに失敗し、結局は欧米にその後も主導権を握られることになる。日本はまだ「大東亜共栄圏」への嫌悪から抜け出したわけではない。

１９８５年のプラザ合意から、この１９９７〜98年にかけ、アジア経済は揺れ続け、結局は米国のルールマネジメントの支配下に置かれることとなった。私はこの時期が、ＲＭ的な「アジアの敗北」の時期であったと考えている。

２章　米英、過熱するルールマネジメントの攻防

1 欧州のISO戦略

ＲＭ戦争は、自由貿易だけをテーマに戦われていたわけではない。実は様々なテーマ、分野で、各国は火花を散らしてきた。ＲＭ戦争＝通貨戦争という認識は、狭義に過ぎている。実際は、別のテーマでそれ以上に激烈な攻防が、欧米では繰り返され、日本はそれに巻き込まれてきた。２章では、それらのＲＭ戦争の展開について説明しよう。

私が14年勤めた証券会社を退職し、独立して始めた事業の一つに、ＩＳＯコンサルティングがある。ＩＳＯは、国際的に認められた、品質管理などの管理・運営マニュアルとそのマネジメント規格だ。ＩＳＯを取得していれば、その企業がつくる製品やサービスは、一定の品質管理がなされている、と国際的に認められる、という「お墨付き」を得ることになる。

私が２００１年に始めたＩＳＯコンサルティングは、すぐにブームに乗り、そこそこの受注を取り、多忙になった。私の地元、愛知県で「愛・地球博」が実施されたこともあり、名古屋の大手スーパーの主要店舗を、わが社で手掛けることになり、ずいぶん私も勉強をさせても

らった。

その勢いで、大手損保、病院、大手家電量販店などへのコンサルティングも行い、当時はISOの普及に、一役買うことができた。

しかし、実際にこの仕事を進めていくと、そこには、欧州発の世界的なRM戦略が色濃く表れていることがよくわかった。そしてその背景には、第二次世界大戦後の米国の覇権拡大に対し、欧州各国が、危機感を強く持っていたことがある。資本主義国同士のRM戦争は、そのときすでに水面下で始まっていたのだ。

そこで、大戦後の欧州の状況に戻って、ISOの背景を紹介しようと思う。


第二次世界大戦後の欧州は、対米戦略の立て直しに必死になっていた。戦後、経済に大きなダメージを受けた欧州では、GDPレベルで、戦前の80~90%程度への落ち込みが見られていた。そこで当時、自由主義国の盟主としての地位を確立しようとしていた米国は、巨額の投資で、西欧の経済を支援した。これが、マーシャル・プランだ。1948年、米国は「対外援助法」を制定し、ECA（経済協力局）を設置し、このプランを実行した。米国最大の海外投資の成功事例と言われる、このマーシャル・プランによって、西欧は戦後の傷を癒やす基礎ができ、発案者のマーシャルは1953年のノーベル平和賞をもらうことになる。しかし、米国には他に狙いがあった。一つは、西側世界の結束を、米国中心に固めることだ。そして、もう一つは、欧州市場を米国企業にとっての重要な市場として開拓することだった。

この二つ目の目標は、かえって欧州を警戒させ、団結させた。米国に助けられつつも、欧州各国では、米国への対抗心もまた、醸成されたのだ。1948年、欧州ではマーシャル・プランに対する受入機関として、OEEC（欧州経済協力機構）が設立された。このOEECでは、欧州域内での貿易関税障壁の緩和・撤廃がうたわれたが、その戦略の基本的概念は、ECという地域を一つの経済圏として、より発展させ、米国に対抗できる勢力に育てることだった。

イギリス・フランスを中心に、敗戦国である西ドイツ、イタリアも含めた国々を中心に、欧州が一体とならないと、米国・ソ連の覇権争いの中で、欧州全体が没落していく、という危機感を、彼らは強力にもっていたのだ。

「欧州の一体化」

これが、戦後欧州の基本的な戦略的デザインだ。

それはNATOのような軍事面だけではなく、経済的な一体化こそが、最重要課題だったといえる。

その中で生まれてきたのが、ISOだ。

ISO＝International Organization for Standardization

これではＩＯＳじゃないか、と多くの人に突っ込まれるが、一般的にはＩＳＯと呼ばれる。

ＩＳＯは、国際標準化機構と言われる国際規格だ。

ＯＥＥＣが誕生する２年前、戦後すぐの１９４６年、ロンドンでＩＳＯの設置が決定され、翌１９４７年、正式に設立された。

ＩＳＯは、簡単に言えば、各国の製品を様々な面で標準化していこう、という試みだ。欧州にはもともと、小さな国々、多くの政体が存在し、同時に国によって物づくりの規格や規制が異なっていた。

しかし、その状態では、一つの「モノ」を作るのに、各国の優秀な部品を集めることができない。

英国製の机にフランス製のネジを使おうと思っても、ネジとネジ穴のサイズが違えば、それはできない。そうなると、いかにフランス製のネジが素晴らしいとしても、英国では使えないし、英国製の板が素晴らしくても、フランスでは使えない。

これでは、ＥＣ域内を、製品や原材料が自由に行き来したとしても、そのメリットが生み出せないだろう。

こういった状況を打破するため、ＥＣの中の様々な「モノの規格」を統一する動きが必須だったのだ。

それがＩＳＯの始まりだったわけだが、ＯＥＥＣの設立、そして欧州経済の復興機運が、Ｉ

SO普及を後押しした。

やがて、ISOは、一つ一つの部品の規格に留まらず、品質の水準を維持するための規格として広まるようになった。それがISO9000シリーズだ。

これは、製品そのものではなく、製品を作るためのマネジメントシステムが、品質を維持する為に適正になっているかどうかを審査するものだ。

ISO9000シリーズは、元々、米国と英国にあったマネジメント規格を参考にしてつくられたものだが、ISO9001は、英国の英国規格協会（BSI）のBS5750がその原型となっている。1987年に制定されたISO9001は、その後日本でも取得ブームを迎えることになる。

ISOが日本に一気に広がった理由は簡単だ。このISOシリーズを、欧州はやがて、EC域内のみならず、海外からの輸入品に対するルールとして適用するようになったからだ。つまり、ISOを取得していない企業からは、欧州域内では輸入できない、と言いだしたのだ。

これが、欧州のRM戦略だった。

必然的に、欧州以外の地域の企業も、ISOを取得し、欧州の規格を採用するようになる。取得には、いちいち欧州まで行くわけにもいかないので、各国に審査機関がおかれ、審査をするようになったのも自然な流れだ。

ＩＳＯは、本部が認める認定機関を各国に置き、この認定機関が認めた認証機関が、審査を行うことになっている。この認証・認定の仕組みは、あらゆる経路で、欧州のＩＳＯ本部にライセンス料が入る仕組みになっている。

そして、欧州、特に英国は、このＩＳＯを世界共通の規格にしてしまうことで、物づくりやマネジメントへの影響力を世界中に及ぼそうとしたのである。

そしてその試みは成功した。


ＩＳＯが、各国に伝わった頃、日本は、欧米に対する自動車や電気製品などの輸出を武器に経済を伸ばしていた最中だった。そして日本には、ＪＩＳ規格という規格があり、これが、日本の製品の品質管理を支えていた。

日本では、戦後４年が経過した１９４９年、工業標準化法が制定され、日本工業規格（ＪＩＳ、２０１９年より「日本産業規格」）が生まれた。このＪＩＳ規格に絶対の自信を持つ日本の財界では、ＩＳＯの動きを知っても、当初の動きは鈍かった。

ＩＳＯの中身を知るにつけ、それがＪＩＳ規格の中身に勝っているとはとても思えなかったからだ。１９５２年に、日本もＩＳＯに加盟し、国内での審査・規格取得も始まってはいたが、ほとんど取得する企業はなかった。「ＪＩＳ規格で十分」というのが、日本の企業経営者の判断だったと言える。

しかし、欧州では、日本のＪＩＳ規格を一蹴した。

あくまでＩＳＯを取得していないと、欧州域内への輸出は認められない、と主張したのだ。

ＩＳＯ９００１が制定された１９８７年以降、この動きは顕著になった。

当然、日本財界には反発の動きが出た。

しかし、当時の日本は如何に国際化されたとはいえ、このような世界戦略への理解が十分にはされていなかったと思われる。国際的ビジネスは、国同士の一種の戦争である、という認識は今でも日本人は欠けている。

つまり、ＩＳＯの普及・強制、というものは、ビジネスと見せかけた政治的な仕掛けであり、規格の厳格さや優秀性、製品自体の品質は「関係がない」のだ。いくらＪＩＳが優れていようが、それは何の対抗要件にもならない。これは、欧州が仕掛けた、国際的な戦略の一つにすぎないからだ。

これこそが、ＲＭ戦争であり、欧米の対日戦略の一側面だ。

日本人は素直なだけに、当初は、「ＪＩＳ規格がＩＳＯ規格より優れている、ということを理解してもらえれば、話はつくはずだ」と思っていた節がある。しかし、それこそが重大な誤解なのだ。

繰り返すようだが、劣っていようが間違えていようが、ルール（この場合は規格）を広げる力を持っているほうが勝つのが、このRM戦争なのだ。

国際的なルールを作る、という作業が、いかにそのルールの作成者に利するか、という点は、言うまでもないだろう。いくら日本国内の品質管理が万全であっても、それはローカルルールに過ぎないのだ。国際的なルールを作ってこそ、その優位性は威力を発揮する。

もちろん、消費者が選ぶ観点は、違うかもしれない。しかし、残念ながら輸出を禁じられてしまっては、日本製商品は、消費者の目に留まるチャンスさえ、失ってしまうのだ。

トヨタ自動車など、社内の品質管理に絶対の自信を持つ企業たちは、初めのうちは、ＩＳＯを鼻で笑っていた、と言って良いだろう。自社の徹底した管理システムのほうが、明らかに優れている、と判断した現場の責任者は山のようにいる。

しかし、繰り返すが、そんなことには何の意味も無いのだ。

ＩＳＯによって、品質管理の能力をいくら誇示したところで、決められた規格をとっていないのであれば、認められない世界が、人為的に作られた。ようやく日本の主力企業のほとんどが、自身の置かれた立場に気が付き、「輸出が出来なくなる」という恐怖感に駆られ、今度は一斉にＩＳＯ取得へと動いた。

ちなみにその後、ＪＩＳ規格はその内容が、ほとんどＩＳＯと同様となった。しかし、それでも、企業はＪＩＳ規格に加え、ＩＳＯ認証の取得に走った。

内容が全く同じでも、それでも、あくまでＩＳＯを取得しなくては、海外は許さないのだ。

そして、すぐに、中小企業にも、ＩＳＯ取得の波は来た。

なぜなら、大企業がＩＳＯを取得し、品質管理を適正に行っていたとしても、その下請会社が品質管理をしていなければ、やはり、片手落ちと指摘されるからだ。

したがって、大企業は、自社の下請会社に対しても、ＩＳＯの取得を義務づけるようになり、ＩＳＯ取得は日本国内で一気に広がっていった。これが、海外のルール戦略、ソフト戦略の恐ろしさだ。

日本企業は、一度その時流ができてしまえば、一気にそこへ傾注する傾向がある。やがて、日本はＩＳＯ取得の一大先進国となり、ＩＳＯの会長を、三井造船社長であった、山下勇氏が務めるまでになる。


こういった動きは、まさに欧州の戦略の掌で日本企業が動いていることを意味している。

それを強く感じるのは、「規格の改定」が発表されるときだ。

ＩＳＯは、頻繁に「規格の改定」を行う。たとえば、もともとＩＳＯ９０００シリーズには９００１（製造業向け）と９００２（サービス業向け）があったのだが、この二つは、統合され、一つの規格となった。

こういった改定は、本当に企業の品質維持の中で必要なものかと言われると、そうではないかもしれない。しかし、こういった企画の改定こそが、ISO本部組織の収益モデルなのだ。

企業は、「規格の改定」のたびに多額のコンサルティング料金をかけてシステムをいじり、審査料と登録料を払わされる。当然、これらの料金の一部は、欧州のISO本部への上納金となっている。

もちろん、こういった改定に対応したくなければ、ISO規格を返上すれば良い。しかし、たとえばEUが、「ISOの改定を行っていない企業については域内への輸出の際に審査を行う」と言いだせば、簡単に非関税障壁ができてしまうのだ。まして、上場企業であれば、海外投資家が株主となり、「なぜISOに対応しないのか」と経営陣を批判することも当然考えられるだろう。

企業は、このような外圧には弱い。

もちろん、企業が悪いわけではない。「戦後」というくくりの中で、欧米戦勝国の定めたルールの上を走らざるを得ない状況と、貿易立国である、という宿命が、日本企業を追い込むのだ。

ISO9000シリーズの次に、ISO14000シリーズ（環境マネジメントシステム）が発表されたとき、すっかり素直になっていた日本企業は、今度は我先にとこの規格を取得した。環境に配慮したマネジメントシステムを採用している企業でないと、海外の企業と取引できない、という流れが当然のように考えられるからだ。

その結果、日本は世界最大のISO14000シリーズ取得企業を抱える国になった。

②米国、運命の2001年

2001年9月11日、私はひどく早朝から知り合いの会社社長に電話で起こされた。その会社は、私が証券会社時代からお付き合いをしていた会社で、この日がジャスダック市場への上場日だったのだ。

「堀君、知ってる？　知ってる？　ニュース見た？」

ふと時計を見ると、まだとても起きる時間ではない。

「ええ？　……知りません、……寝ていますよ、まだ」

「起きて、起きて、すぐ起きて、いますぐ起きて」

珍しく狼狽える社長の声を聴いても、この眠さに勝る事件などあり得ない、と私は思いながら、TVをつけた。

ニュースだというので、チャンネル操作をNHKに合わせたが、瞬時に、どのチャンネルも同じことをやっていることに気が付いた。

「ナンスかこれ？」

どこかで見たような超高層ビルに飛行機が突っ込み、煙を上げている映像が、何度も繰り返されている。

「知らんの？　テロだがや。それより、取引所は開くか？」

9・11米国同時多発テロ。

米国本土が初めて「攻撃」をされた日だ。

私は、何が起きたのかを理解するのに、さらにそれからかなりの時間を要した。結局取引所は開き、社長の会社は無事上場したが、初値は公募価格の半分となり、社長は挨拶で「これもすべて私の不徳のいたすところです」と、意味不明の挨拶をしたと聞いた。

あのときの衝撃は今でも、忘れることはできない。

米国にとって、2001年という年は、国としての分岐点になった年だった。誰もが知る、二つの大きな出来事が、米国に起きたのが、偶然にもこの年だったのだ。

一つはこの米国同時多発テロ、もう一つはエンロン事件だ。

この二つの事件は、米国のRM戦略上、重要な分岐点となった。

米国同時多発テロは、米国が初めて許した、他国による米国本土への大規模な攻撃だったと言える。戦争という形でなくとも、「米国が空爆された」というのとほぼ同じ状況がそこにはあったのだ。

崩れ落ちる世界貿易センタービルを見て、多くの人は、米国人でなくてもショックを受けたに違いない。2019年、新型コロナウイルスがNYを席巻する数カ月前に、私はこのグラウンドゼロを訪ねたが、平日にもかかわらず多くの人が記念館を訪れ、ジュニアハイスクールの生徒たちが、熱心に展示物を見学していた。ワシントンD.C.近くのアーリントン墓地と同じくらい、そこは米国国民の精神的な団結の地となっている。

米国同時多発テロは、後に、米国民の「物理的戦争」への拒否反応を通じ、「RM戦略」の高度化を生み、「自国第一主義」への動きが生じた起点となる出来事となった。その原因は、「世論の流れ」にある。

米国同時多発テロの後、米国民の心理には、重要な変化が起きた。ベトナム戦争時と同じ動きを見せたのだ。

それは、自国が「世界の警察」の役割を果たすことへの明確な反対だ。

ベトナム戦争後、米国は一旦、他国・地域への干渉を弱め、自国主義への傾倒を見せようとした。しかし、1970年代から1980年代にかけて、「原油」を武器にする中東の世界戦略に手を焼いた米国は、結局、この地域へのコミットを強めていかざるを得なくなった。

このことが、第四次中東戦争からイラン革命による第二次オイルショック、そして1990年の湾岸戦争、本編の米国同時多発テロにつながっていく。

この戦いは、結局、イスラエル問題を発端とし、第二次世界大戦を完全には清算できない米国に対する、「産油国」という絶対的な立場を利用した、アラブ諸国の挑戦だった。もちろん、原油という、これ以上ない重要な資源を賭けた戦いに、米国としても負けるわけにはいかない。

しかし、NYへの直接攻撃の脅威を見て、「こんなリスクを冒してまで中東に関与するのか」という世論が、米国では湧き上がってきた。

そして、このような世論の変化が、大きく表面化したのは、テロへの報復によって、アルカイダが壊滅状態になり、「イスラム国」が発達した頃だった。

それまでは、いわば、米国の愛国心とアルカイダへの復讐心が、世論を抑えていた、と言えるだろう。

しかしビンラディンが殺害される2011年には、すでに米国の世論は、自国が他国の犠牲となることを望まなくなっていた。

また、このテロ攻撃は、「米国は本当に強いのか」という疑いを国内外で呼び起こしたとも言える。そして、その疑問が、米国をして、RM戦略を強化し、非暴力・低コストで強い米国を再建する動きを見せたのだ。

米国の強さへの疑問は、その後の為替市場に、明確に表れている。

それまでは、「有事のドル買い」という言葉があるように、世界のどこかで紛争が起きれば、ドルが上昇するのが定石だった。

なぜなら、米国が戦争に負けることはなく、戦争が起きれば、これまでは必ず米国の利益がそこで生み出されてきたからだ。ベトナム戦争だけはその例外とされたが、軍事的には失敗と言われる中東戦争においても、米国の軍事産業は、ここで大きな利益を得、すべてがマイナスで終わったわけではない。

しかし、米国同時多発テロを機に、為替市場の動向は徐々に変わっていった。2001年以降、「有事のドル買い」の傾向は薄くなり、それが一定のパターンとは言えなくなっていった。

そして、結局それから10年以上の試行錯誤の上、2014年には新たな「有事の」パターンが確立した。

それは、「世界で有事が起きれば、ドルは売られ、代わりに円とスイスフランが買われる」というパターンだ。

日本は、戦争やテロと無縁だ、というイメージがある。また、スイスはどの国にも偏らない、永世中立国だ。「米国でもやられる」ことがわかった投資家は、有事のドル買いを止めたのだ。

これが、2014年以降、「リスクオン」とか「リスクオフ」とか言われた動きだ。ギリシャ危機やウクライナ紛争の際に、世界の資金は、リスクをとる度合いを低め（リスクオフ）、ドルを売って、円を買った。

本来、為替は二つの原因で動く。一つは金利差、もう一つは外国との資本・貿易収支だ。

下のグラフでは、ドル円レートの動きに、日本の貿易黒字額と日米長期金利の差を指数化して表記してみた。これを見ると、1985年のプラザ合意から、1994年頃までの間は、ドル円は、貿易黒字の額の影響を受けているが、1995年から1998年、そして、2007年以降は2013年まで、金利差の影響を強く受けている。

そして、グラフには無いが、2014年以降のドル円相場には、基本的に金利差が反映し、局地的にリスクオンオフによる回避通貨としての円高が見られる。

米国同時多発テロは、このように為替市場の常識を変えてしまった。

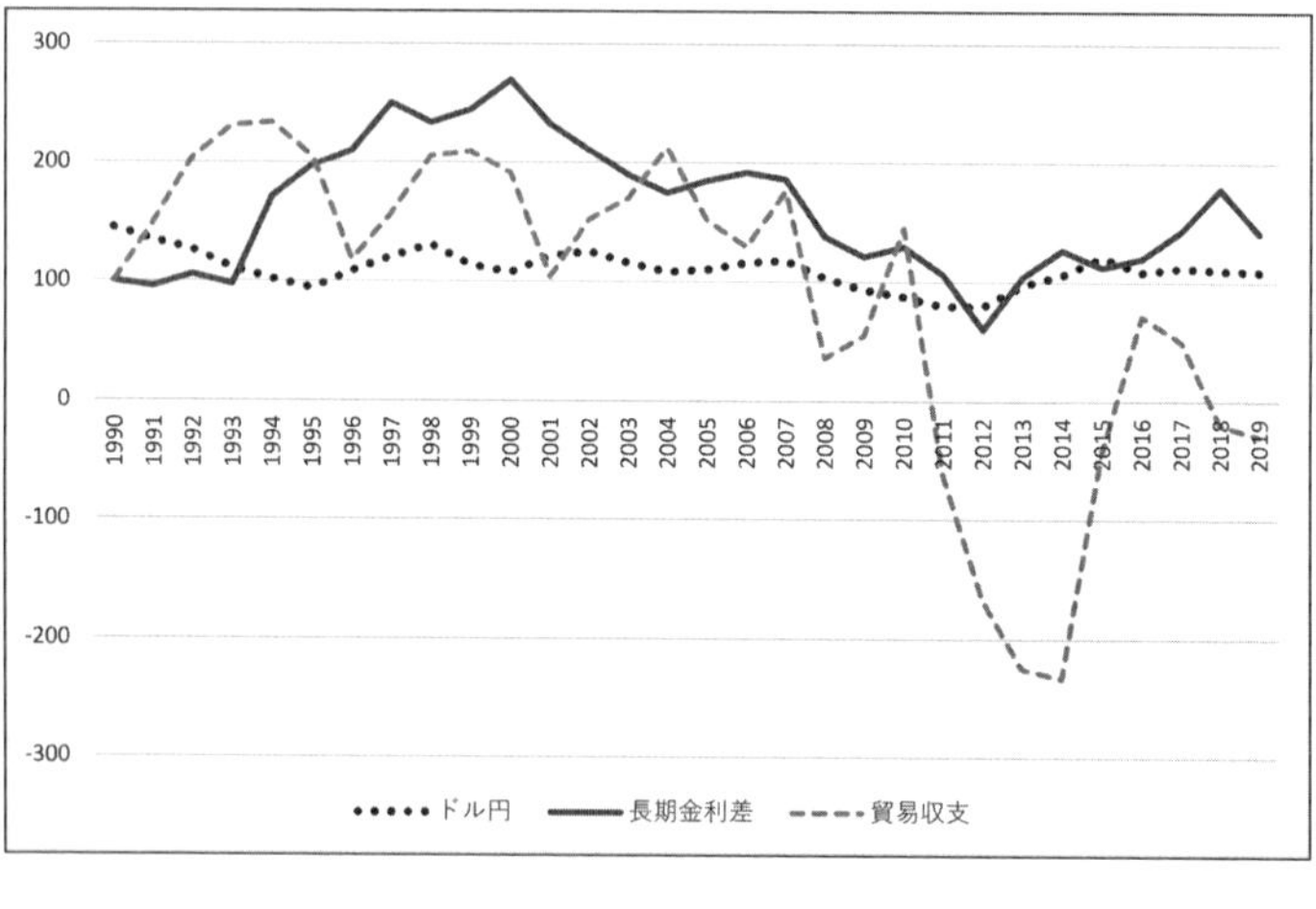

2001年以降、米ドルの地位は、徐々に弱まったが、このことによって米国は、その後のRM戦略を、為替以外のものに求めざるを得なくなった。そして、そのRM戦略再構築の柱となったのは、「資本のルール」だった。

2001年以降、米国は自国が世界で圧倒的な優位を持つ、「投資」の力を利用し、「資本のルール」をネタに、世界に大きな影響を維持し続けようとする。この「資本のルール」を利用したRM戦略は、第一次と第二次に分けることが出来る。

「第一次資本のルール戦略」は、SOX法の海外展開と格付け機関による戦略、「第二次資本のルール戦略」は、英国のルールを利用したスチュワードシップ・コード、コーポレートガバナンス・コードとROE戦略だ。

次項で紹介する「第一次資本のルール戦略」は、リーマンショックが起こる2008年頃まで続く。

そして、米国がこの戦略を構築した背景には、2001年に起きたもう一つの大事件、エンロン事件、ワールドコム事件があったのだった。

③ エンロン事件と、捨て身のSOX法戦略

2002年1月25日、テキサス州シュガーランドの住宅街の路上で、けん銃自殺をした男性

が見つかった。

彼の名前は、クリフォード・バクスター氏。

M&Aで急成長をしたエネルギー企業、エンロンの元副会長だった。

エンロンは前年の2001年、粉飾決算の疑いによる、厳しい捜査が行われており、バクスター氏の車中からは、その捜査に耐えられない、という主旨の遺書が見つかった。

米国同時多発テロの翌年、この「エンロン事件」は、資本主義経済の中心地であるという、米国の自負を一気に吹き飛ばした。


エンロンは、1931年に、電力・ガスなどのエネルギー企業が集まってできた企業グループだが、その後積極的なM&A戦略により、2000年には、1110億ドル（全米7位）の売上を計上する大企業となった。

このエンロンが、実は、粉飾決算にまみれた企業だ、ということが、2001年10月17日の『ウォールストリートジャーナル』で暴露されたのだ。


これが非常に大きな事件となったのは、そもそもエンロンが、当時の米国でも先進的な事業スキームを持つ企業だと評判があったからだ。

「総合エネルギー企業」であり、「IT企業」だ、と言われていたエンロンだが、実はその正体は、電力などの先物を巧みに操り、会計上の利益を不正操作していた企業グループだった。人件費をストックオプションで節約し、電力などの販売収益を、先物を使って架空に生み出し、損失が出ると、子会社を非連結にしてそこに付け替えたのだ。こういったことは、最先端の金融工学の知識と、財務会計のエリートが組んで初めてできることだった。エンロンの場合は、アーサー・アンダーセンという、米国で最も信頼度の高い会計事務所がそこに協力していたことが、更に事件を大きくした。

２００２年、アンダーセンはこの事件において、上層部が証拠書類を破棄するよう指示していたことがわかり、最終的には解散に追い込まれることになる。

こういった粉飾手法は、当時の不完全な法律下であれば、すべてがアウトであったわけではなく、会計上のルールに則った部分もあれば、グレーゾーンだという部分もあった。

しかし、１９９７年頃からの米国の景気低迷が、商品先物価格を下落させ、原油価格の低迷と相まって、エンロンに実体的な打撃を与えていったのだ。

このことにより、徐々に、エンロンは損失を隠し通すことができなくなってきていた。そして２００１年、米国同時多発テロで混乱する商品先物市場が、エンロンの粉飾隠しにとどめを刺した。

9・11の事件が起きた時、人々とは違う理由で、エンロンの幹部は身を震わせたに違いない。

一つの事例が黒となれば、グレーゾーンのものもすべて黒と判断される。

しかも、悪いことにエンロンの経営陣は、道義的に許されないことをしていたことが発覚する。

粉飾決算が明らかになる直前に、エンロンの経営陣は次々と辞めていたのだが、彼らはストックオプションを行使し、事件が明らかになる前に株を売って、利益を得ていたのだ。

これは、悪質なインサイダー取引の一つだ。

元副会長のクリフォード・バクスター氏もその一人だった。彼の死は自殺とされたものの、彼はそのインサイダー取引について多くの関与者と取引内容を知っていた可能性があり、その後長らく、「バクスターは殺されたのだ」という噂が絶えなかった。


このエンロン事件は、MBAのような、高度に教育され、資本主義・自由経済を守るべき人が起こした、という点、さらに、資本主義経済の監視人というべき、監査法人・会計士が、この不正に関わっていた、ということで、米国の社会には大きなショックとなった。

またその動機が、株価上昇によるストックオプション行使・売却という、個人的な利益と、会社としての人件費の表面化阻止（当時はストックオプションなら費用計上されなかった）であったことで、資本市場そのものの在り方に疑問が持たれたのだった。

『フォーチュン』誌の見出しが、

「異常なまでの傲慢さ、強欲さ、詐欺行為、金融的まやかし」と、あらゆる言葉で罵声を浴びせたのは、こういったショックの裏返しだ。

さらに、米国同時多発テロ直後、ということもあり、この事件はアメリカ人の「自信」と「自負」を滅多打ちにしてしまった、ということが言えるだろう。

しかも、不正会計事件は、これだけで終わらなかった。翌2002年には、もう一社、巨大企業の粉飾が明るみに出る。ワールドコムがそれだ。

ワールドコムは、1983年に設立された、巨大通信事業者だ。設立後、M&Aを繰り返し成長した同社は、1998年にMCI（当時全米4位の通信事業者）を買収し、話題となった。

同社は、本来費用として計上すべき回線利用料金を資産計上するなどして、利益を不法にねん出した。エンロンと比べると、その手口は簡単だが、やはり動機は株価の維持、公約したROEの実現（42%）にあった。

そして、ここでの監査法人は、またしてもアンダーセンだった。

ワールドコムの件は、会社側は満足な監査資料を提供せず、監査法人も深入りせず、という中で、内部監査役であったCooper氏が、告発をした事例だった。

この二つの粉飾決算事件により、米国は窮地に陥った。

そして、その窮地の中で、自浄作用を起こすべく、政府と業界は激しく動いた。

その結果が、ＳＯＸ法の制定だ。

ＳＯＸ法＝サーベンス・オクスリー法

は、エンロン、ワールドコム事件を受けて、２００２年7月に成立した法律で、上場企業が、自社の決算内容について、適正であると保証することを定めている。また、上場企業は、適正な決算を組むための内部統制を仕組みとして作り上げ、「内部統制報告書」として報告することも義務付けられている。


この「内部統制」という、いわゆる社内の監視体制（コーポレートガバナンス）の構築が、ＳＯＸ法の中では、重要な要素となっている。

取締役や代表取締役の役割と、それを監視する取締役会、監査役、社外取締役（独立役員）などが、互いに監視・協力して、会社の健全な運営に資する仕組みが、内部統制だ。

会計監査人が、財務情報だけでなく、内部統制に関する監査も行う制度もある。また、社員が告発をしやすいように作られる、内部通報制度もまた、ＳＯＸ法の重要な要素だ。こういった経営監視体制を、上場企業は必ず構築しなくてはならない、というのが、ＳＯＸ法の趣旨となった。

ＳＯＸ法については、その後、各国で導入が検討されたが、ＥＵでは結局のところ米国流のＳＯＸ法は採用されなかった。

一方、日本では、２００６年６月に、金融商品取引法が成立し、そこに内部統制（Ｊ－ＳＯＸ法）が定められている。

このＳＯＸ法の対外輸出は、米国のＲＭ戦略だと言える。

米国で、エンロン事件が起こり、不正会計・粉飾決算の防止策制定の必要性と、それに関するコスト負担を、強いられたとき、米国は、このピンチを逆手に取った。

おなじような厳しいルールを海外企業にも課すことで、米国企業の競争力を維持することと同時に、新しい規則の主導権を持つことが、米国の狙いだ。しかもこの動きは確かに、資本市場の正常化に貢献する動きではある。

しかし、米国で成立したＳＯＸ法を元にした規制の普及が、不正会計に対するベストの対応策なのかは、だれにもわからない。ただし、ＳＯＸ法を各国の企業が無視できないのは、実質的に米国の機関投資家がそれを評価する立場にあるからだ。

そうすることが可能なのは、米国が、金融工学のメッカとして、多くの資金運用ファンドを抱えているからでもある。

ファンドの運用者にとって、企業に外圧をかけるのは、簡単なことだ。政府や公的機関が表面に立って動く必要はあまりない。投資ファンドが、投資家として、株主として、企業に内部統制の充実を要請すれば、最終的には、海外企業も、それに従わざるを得ない。


この理屈は、ＩＳＯと基本的には同じＲＭ戦略だ。

「ＩＳＯを取得しないと輸入してやらない」

というのと、

「ＳＯＸ法対応をしていないと、投資をしてやらない、株を買ってやらない。（あるいは）売ってやる」

というのは、その考え方の底流は同じだ。

国際的企業にとって輸出が命綱であるのと同じで、上場会社にとって、株価や株主の威光も、それと同等か、それ以上の重みがある。このように、投資活動を武器にＲＭ戦略を進めるのは、これ以降、米国の戦術の中心的な手法となっていく。


しかし、ＥＵはＳＯＸ法のルールに乗らなかった。それが米国発のルールであることに、一定の抵抗があるのだ。

２００6年5月、ＥＵの専門家会合において、ＳＯＸ法的な法制の導入が、ＥＵでは不必要である、という結論を発表し、日本でＪ－ＳＯＸ法が制定された翌月の２００6年7月、欧州委員会において、その立場が確認された。

この「抵抗」の背景には、ロンドンのプライドがあると言われる。「投資」という分野は、今では米国が本場と言われるが、その本質は英国にあり、投資・金融の世界の発祥地は、ロンドンである、というプライドが、彼らにはあるのだ。

米国の「軽い」ヘッジファンドたちが作るようなルールには乗れない、というのが、彼らの本心だろう。そもそも、エンロン、ワールドコム事件を起こした米国社会が考えた仕組みがなぜ信頼できるのか、という思いもあっただろう。

実際、次章で紹介するが、英国では自国で独自の内部統制のルールが１９８０年代から議論され、作られている（キャドバリー報告書、統合報告書）。いまさら、米国流の議論に乗る必要はない、と言いたいところだろう。

一方、日本では、ＳＯＸ法を日本風にアレンジしてでも採用しよう、という対米従属的な動きは当然のように出た。ここに、日本と欧州の差がある。

しかしそれは、対米従属的か否か、というよりは、RM的世界戦略に対する意識があるかどうか、の差だろう。

とはいえ、日本も、1、2の3で、SOX法を受け入れたわけではない。2004年に西武鉄道事件、2005年にカネボウ事件、と、粉飾事案が続いたにもかかわらず、日本の主要企業では、米国流の「内部統制」という仕組み自体に、すぐに積極的にはなれなかった。

その背景には、やはり日本的なものへのこだわりもある。

日本の財界は、ISOでもSOX法でも、それが日本の風土に合うかどうかを検証したがる。これは、きわめて正しい行動であり、その点は、日本政府よりも克己心があるように見える。政府や当局の人々は、表面上の検討は行うが、結局は外圧を受け入れることを前提に初めから動いているようだ。ISOでは、JISなどの品質管理との比較、SOX法においては、日本的取締役会のありかたの良さを、比較議論するが、財界の真剣度と政府のそれは、かなり温度差がある。

日本の企業はSOX法の受け入れに対し、少なからず抵抗感を感じていた。

SOX法の内部統制のあり方では、取締役会の中に独立的な社外役員を入れ、常勤役員の活動を監視し、評価するようになっている。また、その機能を含め、監査役会が取締役会を評価するようになっている。

しかし、日本的経営においては、役員は皆、家族的に同じ方向性を向き、会社の繁栄にまい進するのが当たり前であって、それを「監視する」役割の者など、少なくとも取締役会の中には必要としない、逆に邪魔だ、ということになる。

権限は社長に集中し、社長が役員たちの役割と報酬を決め、決議も基本的には満場一致が普通、というのが日本企業の風土だ。

ただし、このような企業のありかたは、欧米の仕組みからいえば、極めて不透明な企業経営とされるだろう。

一方、戦後の経済発展の中で、日本企業は、自分たちのやり方が、欧米企業に打ち勝ってきたわけだから、なぜ今になって、その欧米企業のやり方を押し付けられるのか、が、納得できないのだ。

しかし結局のところ、前述したように、2006年6月に成立した金融商品取引法によって、2008年4月1日から、J－SOXの適用が上場企業において始まり、有価証券報告書の提出とともに、内部統制報告書の提出が、義務付けられることになった。内部統制報告書では、業務フロー、業務指示書、RCM（リスクコントロールマトリックス）の作成と、それらについてのサンプリングテストとウォークスルーテストが必要とされ、その結果を記載することになっている。これら書類の作成は、今や上場企業にとって、大きなコストとなった。

とはいえ、このJ－SOX監査の手法が企業内部のオペレーションを確認するのに有益であることは確かだ。そして、不祥事に対する一定の牽制となることも間違いないだろう。ただし、私はこういった仕組みをなぜ日本発で出来なかったのか、ということが問題だと思う。バブル崩壊時に多様な企業不祥事を経験してきた当局なら、日本におけるオペレーションへの監査手法を、すでに確立しているべきであっただろう。

そのような「無策」が結局、米国RM戦略、そして「資本のルール」に我が国が取り込まれ続ける原因となる。しかし、このSOX法が議論されるのと並行して米国が採ってきた強烈なRM戦略について、ここで紹介をしておかなくてはならない。この戦略が、アジア通貨危機に拍車をかけ、日本の大手金融機関を潰し、最後には米国自身にとっても仇花となったのだった。

4 山一證券にとどめを刺したもの

少し時期が戻るが、1997年11月14日、あの有名な「号泣社長」山一證券の野澤社長による、山一證券廃業の記者会見が行われた。

「私ら（経営陣）が悪いんです。社員は悪くございません！」

泣きじゃくりながら会見する野澤社長のインタビューは、当時の私には同業者として、ショックであり、今でも記憶から去ることが無い。

社長就任まで、2600億円の不良債権の存在を知らず、ただ命を受け、あのインタビューに至った野澤氏の心境は、よくわかる。

1994年から山一證券の名古屋支店長だった彼は、私が野村證券の一兵卒として名古屋支店にいた時期と、丸々重なっている。

名古屋という土地柄は、地元意識が強い。ビジネス的な取引の多くも、地元出身者で固めるのが通例だといって良い。金融面では、歴史的に名古屋の企業を支援してきた、当時の東海銀行の牙城でもある。その東海銀行が、東海東京証券、日興証券と組んで、法人の市場を牛耳っている地域でもあり、野村や大和、山一にとっては、苦難の地域であると同時に、出世への登竜門だとも言える。

野村の名古屋支店も、私のような地元出身者を多くそろえ、地域に食い込もうと必死だった時代だ。

この野澤社長の会見があった1997年は、日本の証券業界にとっては「崩壊の年」だった。野村證券の酒巻社長が、総会屋への利益供与で逮捕され、さらに山一證券にも「飛ばし」の容疑がかけられ、7月30日、強制捜査が入った。野澤会見の4カ月ほど前のことである。「飛ばし」というのは、ある会社で保有している株式の価格が大きく下落した時に、その損失を隠ぺいする為、他法人に元の買値で一旦持ってもらうことだ。もちろん、最終的にはどこかが損失を計上しなくてはならないが、その損失をグループ外の会社に出させる、あるいはタイミングを見て、他の利益と相殺できるまで「飛ばして」おく、という手法がとられる。

ともかく、野村も、山一、大和、日興も、証券会社各社は、この時期、社内外で生き残りを懸けた最後の戦いにもがくことになる。

業界トップの野村證券でも、その危機感は日に日に強まっていた。毎年のように大発会（年初の市場開き）には全社員に向け、「富士山に登ってご来光を見ながら、清らかな思いで、これこれを思った」、みたいな酒巻社長お決まりの挨拶に、「いくらなんでもマンネリに過ぎる」と閉口していた社員たちは、呆気なくご本人が逮捕されてしまったニュースを聞き、いよいよ経営が混乱に陥るのではないか、という不安にさいなまれていた。

私はこの翌年、野村證券を退社するのだが、この1997年から1998年には、退職意向の確認や面接のために、なんどか本社を訪れた。3年ぶりに本社の中を回って、いろいろな人に挨拶にまわったが、私自身、とても寂しい気持ちになったことを覚えている。その理由は、簡単に言えば、誰も私の退職を「止めようとする」人がいなかったからだ。大学を卒業して13年間も頑張ってきた青年？にとって、それほど寂しいことは無い。

私の退職動向を異様に気にしていたのは、部下が退職すると査定に響く部長くらいだった。本社全体に、上すべった空気が蔓延し、人のことなど、正直どうでも良かったのだろう。野武士と言われた野村といえども、本社は官僚的な空気に支配されている。そこへもってきて、大規模な粛清と、本社経営幹部人事が海外本部中心になる、という噂で、ほとんどの人は仕事が手についていない。

なにしろ、相次ぐ社員役員の逮捕拘留で、国内の優秀な人材に、安心できる人が誰もいなくなってしまったのだ。驚くべきことに、地方の支店長クラスでさえ、何で逮捕されるかわからないような状態だった。

皮肉なことに、それまで野村證券の方針に沿って活躍してきた人たちに、出世のチャンスは残されていなかった。そして、「脛に傷を持たない、安心できる人材」は、このバブル期の証券業界の激戦をよそに、海外でのんびり過ごした、野村らしくない人材しかいなくなっていたのだ。

そんな状況だったので、本社には質の悪い忙しさだけが漂っていた。

本来なら私を引き留める役の中部本部担当部長も、ただ寂しそうな顔をするだけだ。

(お前も将来がないようなものだからな)

と言いたげな、諦めた顔つきが、印象に残っている。

出世街道だった自分でさえ先が見えないんだから、お前なんぞに至っては、迷子のネズミかなんかだよな、と言いたげだ。

「お世話になりました」

と軽く挨拶をすると、少しタイミングが遅れて、

「ああ、そうか、仕方ないな。何をするつもりだ？」

いま気が付いたように私を見上げると、寂しく笑う。

そして、自分で聞いたくせに、答えを待たずに、続けて自分がしゃべった。

「あ、それとな、あまり世話になった会社のこと、悪く言うんじゃないぞ」

そういいながら、手を休めることなく、必要書類にサインをしてくれた。

まったくこれが野村の上司だ。私は会社の将来について正さないとならないことなどについて、一通り言ってやるつもりだったが、そんな時間すら与えない。人の言うことなぞ、聞く耳を持たないのだ。


一方、山一證券では、「飛ばし」の捜査が入った7月30日以降、救済を求めていた富士銀行に見限られた上、さらに昭和リースへの損失補てんが明るみに出るなど、逆風が吹き荒れた。

しかし、幹部たちはそれでも諦めず、水面下で、クレディスイスとの提携を模索するなど、生き残りの策に奔走した。

しかし、こういったあらゆる努力に、とどめを刺したものがいる。

それが、米国格付け会社のムーディーズだ。

ムーディーズは、国や企業が発行する債券の信用度を調査し、発表する、いわゆる「格付け機関」の大手だ。

世界中の投資ファンドなどは、この格付けを信頼し、債券投資などを行う。格付け会社の格付けやその変更は、投資に大きな影響を与え、債券のみならず、株価にも大きく影響をする。

そのムーディーズが、11月6日、山一證券の格付けを、Baa3から下方へ修正する検討をしていること（ネガティブ）を発表したのだ。これを機に、山一證券の株価は急落した。翌日の11月7日、野澤社長は、自社の命運を担って、長野證券局長を訪ねる。このとき、彼は2600億円の簿外債務があることを長野氏に告げ、大蔵省に最後の救済を求めてきたのだ。

野澤氏は、山一の社長に就任してまだ数カ月で情報も少なく、山一證券というブランドと情に訴えるが、長野氏は、非情な決断を下すことになる。2600億円の簿外債務の即時開示と、SECへの報告を野澤氏に要請し、会談は終わった。

事実上、この段階で、山一の破綻は決定した。

このとき、長野氏の頭には、米国で大問題となった大和銀行損失事件があったという。その轍を二度と踏まないために、簿外債務などを隠し、処理しようという選択肢を切って捨てた。

そして、一週間後、野澤氏は山一證券の自主廃業を、涙ながらに発表する。ここに、日本を代表する老舗証券会社が姿を消すことになったのだ。

さらに一週間後の11月21日、ムーディーズは実際に、山一の格付けをＢａａ３からＢａ３へ変更した。

ムーディーズのＢａａという格付けは、競合の格付け機関Ｓ＆ＰのＢＢＢ（トリプルＢ）と同様で、いわゆる「投資適格」債券としてぎりぎりの信用度を示している。したがって、ここから下方へ修正される、ということは、普通の投資には向かない、いわゆる「ジャンク債」（＝リスクが高い債券）である、という烙印をおされたことになる。

このとき、同じ格付け機関であるＳ＆Ｐの山一に対する格付けはBBB-を維持（ネガティブ）し、日本の格付け機関では、ＪＢＲＩがＢＢＢ、ＮＩＳはA-である。

このように、山一證券にとどめを刺したのは、米国の「格付け機関」なる、一民間企業だ。そして、有力な格付け機関は、世界に3社しかない、と言ってよいだろう。正確に言えば、３社の寡占状態にあるのだ。

山一を廃業に追い込んだムーディーズのほかには、同じ程度の影響力を持つＳ＆Ｐと、３番手になるフィッチだ。

この3社で、世界中の投資家が使う信用情報のほとんどすべてを網羅しているといっても過言ではない。そして、この３社がそろいもそろって米国の企業なのだ。米国や欧州の信用情報利用では、３社のシェアは合計で95％という数値が出ている。

このことは、実に恐ろしいことだ。

一民間企業が、海外の企業はおろか、国の信用格付けまでも行い、それが投資に大きく左右するのである。財務体質が強くない企業などは、格付け会社の一言で、金融機関の融資が止まり、破綻する。その代表的な事例が、山一證券だ。また、２００２年には日本国債の格付けが、ボツワナよりも低くされ、話題を呼んだこともある。

５ 亡国の兵器、「格付け機関」の自爆

格付け会社なるものは、いったい、どのようにして生まれてきたのだろうか。

その発展と暴走について、ここで紹介をしておくべきだろう。

もともと、米国で鉄道ブームが沸き起こっていた１９００年頃、米国では銀行業務への規制が厳しく行われていた。そこで、多額の資金が必要とされる鉄道事業では、有力な出資者を募ることが、重要なテーマとなっていた。

その出資を募る際に、最も必要とされたのが、その出資債券の信用性を証明することだった。

そこで、その需要に応えるべく立ち上がったのが、今の大手格付け機関、ムーディーズの生みの親、ジョン・ムーディーだった。彼は、１９０９年、２５０社以上あったと言われる米国の鉄道会社の信用調査を行い、格付けを行ったと言われる。彼によって、鉄道事業には潤沢な

資金が提供された。

これが、格付け会社の始まりだ。

このブームに乗って、1922年にはS&P、1924年にはフィッチが、それぞれサービスを開始する。

そして、彼らの存在価値が飛躍的に上がったのは、1929年からの世界恐慌だ。

このとき、彼らによる格付けの低い公社債がデフォルト（回収不能）に陥る確率は30％から40％と高く、格付けの有効性が広く証明され、投資家に認知・歓迎されたのだ。

この後、格付け会社はグローバルな力をつけていき、1975年には米国で「公認格付け機関」（NRSRO）が設立され、彼らは民間企業でありながら、半ば公的な存在となる。

この時点で、格付け機関、NRSRO、そして「格付けというルールそのもの」は、米国のRM戦略の重要なツールとして取り込まれた。

例えば、SOX法対応についても、格付けに影響を及ぼしている。ムーディーズは、2005年の年次報告書提出会社について、内部統制の評価を新たに行い、格付けを見直した。この際には、12社が格付けを引き下げられている。こういった動きは、現在まで継続している。

このように、格付け機関は、米国のRM戦略とリンクした作業を行う一方で、独自の評価もしている。もちろん、各格付け機関の中では、一定のルールに従った財務分析などにより、格付けは行われているだろう。しかし、ブラックボックスになっている判定基準なども多くあるはずで、そうでなければ、格付け機関ごとの評価が変わるわけがないのだ。

そして、この格付け機関の所作によって、株価は大きく左右され、企業をつぶすことや、国の債券価格や為替を大きく動かすことさえできるようになっていったのだ。

一方で、アジア通貨危機においては、格付け機関の動きは、ヘッジファンドに逆手に取られたこともある。危機を誘導しないように、できるだけ実態よりも強く見せようと格付けを維持する行動が、ヘッジファンドの空売りを誘発し、より深刻な事態を招くケースもあったのだ。

いずれにしても、彼らの存在価値は、世界中の市場において非常に高まり、格付け機関の動向をチェックすることは、主に債券投資において、当たり前のこととなった。

さらに、２００６年には格付け機関改革法が米国で採択され、ＮＲＳＲＯに海外の格付け機関も登録できるようになった。

この措置によって、格付け機関による格付けは、米国企業の勝手なものではなく、海外にも門戸が開放されている、国際的なスタンダードである、というアピールがなされた。しかし、前述したように、その実態は、欧米で95％のシェアを持つ、ムーディーズら3社の独壇場であることに今でも変化はない。このように、格付け機関は、その絶対的な権力を行使し、世界の企業や公的機関の恐れる存在となった。

まさに格付け機関は、「ＲＭ戦争史」上、最強の武器の一つとなる。

弱り切った山一證券にとどめを刺すことなど、彼らにとってみれば、実に簡単な仕事だったのである。

しかし、綻びは、意外なところから来た。

それが、サブプライム問題だ。

サブプライムモーゲージ、すなわち、信用度が低い所得層への住宅ローン債権は、米国の金融市場で、秘かな問題となっていたが、それが表面化したのは、2007年4月2日、米国の大手銀行、ニューセンチュリーフィナンシャルが、破産法適用の申請をしたことによる。

かねて専門家の間では問題視されていたサブプライムローン問題が表面化した瞬間だ。しかし、多くの米国民は、このことをそれほど重大と捉えていなかった。従業員の54%を削減したうえで、キャリントン・キャピタル、グリニッチ・キャピタルの2社へ事業譲渡する話が、同時に発表されたからだ。

しかし、事態はその3カ月後には急変する。

2007年7月、ムーディーズは自社が格付けしたCDO（債務担保保証券）184件、5000億円相当に、突如、「格下げ注意」を発表し、実際には7月10日、RMBS（住宅ローン債権）の大量格下げを実施した。これに追随するように、S&Pも大量の格下げを示唆した。

しかも、この格下げは、AAA（最上位）の債券を、いきなり、投資不適格（BB+以下）とするなど、暴挙ともいえる格下げだった。サブプライムとは、そもそも、低格付けの住宅ローン債権を指すが、もとは優良とされていた債権が、突如としてサブプライムローンになり、紙切れ同然の評価にすらなったのだ。この格下げは、投資家を混乱に陥れた。

これにより、米国の金融システムは、一気に崩壊に向かった。

2008年3月には大手投資会社、ベアスターンズの破綻が決定的になり、この時点で、ようやく米国民は、金融危機が迫っている認識をしたと言って良いだろう。

ベアスターンズの騒動から半年後、2008年9月15日、ついに史上最大の破産額6000億$という巨額破産、リーマンブラザーズの破綻が発表され、米国発の金融危機が勃発した。

いわゆる「リーマンショック」だ。

当然、リーマンショックの犯人とされたのは、格付け会社だ。

もともと、信用力が大して高くない債権を、優良債権として、ファンドに組み込ませていったのは、格付け会社側の収益・営業的な都合であり、格付け自体が操作されていた、という告発が相次いだのだ。

この架空格付けによって、本来サブプライム（信用度が低い）であるローンが、優良債権であるかのように取引され、バブルが生じた、という理屈だ。そして、それらの債権の回収が実際に難しくなった時点で、慌てた格付け機関が、拙速に格付けを下げたことが、金融機関を混乱の渦に叩き込んだのだ。

格付け機関にそれまで散々な目にあわされてきた民間企業を中心に、彼らへの批判は高まった。

このころから、格付け会社は、米国の戦略から離れていく。政府も、格付け機関を擁護することはできなくなっていたのだ。米国は、リーマンショックの原因を格付け会社に取らせたこの頃から、国のRM戦略として、格付け機関を利用することを止めたように思われる。2017年には、リーマンショック時のサブプライムローンへの格付けは不当であったとして、裁判所は、ムーディーズに対し、米司法省と21の州に総額8・64億ドルを支払うよう命じている。

このように、山一證券を葬った「格付け機関」は、自国のリーマンブラザーズにも止めを刺し、世界的な金融危機を招いたのだ。

その後、2011年になって、S&Pが、自国米国債の格付けを初めてAAAからAa1に引き下げる、という事態が生じた。これは格付けの歴史上、初めてのことだ。これまではいかに米国経済が悪化しても、格付け会社が自国国債の格付けを下げる、というようなことは考えられなかった。

これに対して、財務省はじめ、米国当局は、この格下げがインチキであり、いかに格付け会社が不正を行っているか、というようなキャンペーンをはった。これまで散々利用してきた格付け機関を、いきなりインチキ扱いをする、という大胆な行動に出たのだ。

この事態が、格付け機関が米国のRM戦略から除外された決定的な出来事となったと言えるだろう。

しかし、現在でも格付け機関は相変わらず世界中の投資判断に大きな影響力を維持している。ここに米国当局の支配力が及んでいるかどうかは、ウォッチしておく必要があるだろう。

⑥ IFRSによる英国の反撃

2008年、リーマンショックによって、世界中の金融システムは、崩壊しかけていた。格付け機関の信用は地に落ち、米国の旗振りのSOX法による企業統治もまた、その有効性を認められ難くなっていった。

そして、新たにグローバルな金融システムを再構築し、安定したものにすることは、世界共通の急務だった。世界の金融システムは、格付け機関のようなブラックボックスを持った不透明な評価方法を克服し、より客観的な信用情報の共有、企業評価の標準化を求める方向へ、動いた。そうした結果、浮かび上がった次の課題は、世界共通の会計ルールであった。

そもそも、米国、欧州、日本、とそれぞれの経済圏で、会計ルールが異なることが、グローバルな投資、評価基準作成の妨げになっている、という議論は、このころから加速が始まっている。

日本、米国、欧州（それぞれの国）の間で採用されている会計ルールには、様々な差異がある。特に、減価償却の方法や、開発費、暖簾代の扱い方などは、金額が大きいだけに、グローバルな企業比較をするには、その調整が大変だ。


2005年から、EUでは、域内の上場企業に対して、すべて国際財務報告基準（IFRS）が強制適用されることになったが、これは、そもそもEUの域内統一のための動きだ。

しかしEUは同時に、EU域内で上場する外国企業に対して、2009年以降、IFRSを強制適用することとしたのだ。

このIFRSという基準は、国際会計基準審議会（IASB）が定める基準だが、IASBは、英国の会計手法をモデルとして基準を決めている。本部もロンドンに置き、イギリスの会計士が多く運営に関わっている。

ただし、IFRSも英国の会計基準と類似してはいるものの、完全に同じ、というわけではない。EU域内で統一できるよう、改変を施したものだ。

この動き、すなわちEU内でＩＦＲＳを強制適用しよう、という情勢は、ＩＳＯのときと類似している。ＩＳＯのときは、欧州内の品質規格を共通化させ、その規格を、そのまま海外企業にも強制することで、域内の優位性を作ったのである。

このＩＦＲＳでも、同じように会計ルールを域内で共通化し、それを海外企業にも強制的に採用させる動きを見せた。

こういった背景により、２００８年11月、リーマンショック直後のワシントンサミットでは、市場の混乱期における、証券の価格評価、会計評価のガイダンスを強化することが謳われた。さらに２００９年４月のロンドンサミットにおいても、「単一で高品質な国際会計基準」が求められた。

前項で説明したように、リーマンショック以降、格付け機関における格付けへの疑念が、国際的な議論に上がっていたのだ。

そして、世界中の企業評価を、米国格付け会社の独壇場にさせないためにも、このような会計基準の標準化による、信用情報の簡素化が求められたのだ。

この動きに対応し、日本では２０１０年３月期から、ＩＦＲＳ基準の連結財務諸表の作成を容認した。三井物産で副社長を務め、日銀審議委員にもなった福間年勝氏は、このＩＦＲＳの導入に寄与した人物として知られている。

私は福間氏との面識は全くないが、亡くなられたときに「棺に日経新聞を一緒に入れられた」ほど、市場を常に意識した方だということ、そして、アジア通貨危機を事前に察知し、タイバーツを売りまくって三井物産を通貨危機から回避させた方だという「伝説」は聞いたことがある。

彼は、ＩＦＲＳの要素の中でも「時価会計」が、企業経営のリスク管理に不可欠だとしている。

「市場人」らしい考え方だ。

バブル崩壊後に、簿価と時価の間に莫大な差が生じた経緯を持つ日本企業は、確かに、時価会計の重要性を感じるだろう。ただし、そこには「Ｑレシオ」で痛い目にあったバブル期の怖さもある。

保守的な意味での時価会計、つまり含み損失をどんどんバランスシートに取り入れていくことには賛成だが、含み益を同じようにバランスシート上でのせていくことは、結局はＱレシオと同じ理屈になる。そこで、日本企業では、ＩＦＲＳと、日本基準の2通りの会計報告を行うようになっている。

ＩＦＲＳの重要な要素は、損益の評価ではなく、純資産の増減（包括利益）を評価している、ということだ。ここでは、不動産価格の上下、株式市場の上下が大きく影響してくることになる。

一方米国においては、米国市場に上場する企業は、米国会計基準に準拠していなくてはならない。いわゆるＵＳ－ＧＡＡＰと呼ばれる会計ルールがそれだが、このＵＳ－ＧＡＡＰは、明文化されたルールではなかったので、そもそもＩＦＲＳに比べ、会計基準としての完成度に差があった。

ＵＳ－ＧＡＡＰは、リーマンショック後に明文化されていったが、国際的にそれを広げていくには遅く、逆に、海外の多くの企業がＩＦＲＳを採用していったことにより、米国企業にもＩＦＲＳ採用の動きが出てきた。

明文化されたＵＳ－ＧＡＡＰは、これまでとは逆に、細かすぎるほどのルール設定を行っており、ＩＦＲＳと比べると、コンセプトよりも詳細な会計実務を規定している。これが、逆に企業の導入の障害になったとも言われる。

そこで米国は、２００９年から一部企業へのＩＦＲＳ適用を認め、２０１４年以降は順次、これを義務付けていく方向性を打ち出し、２０１６年にはＩＦＲＳに収れんしていくこととなった。

このように、ＩＳＯのような品質マネジメントシステム、ＩＦＲＳのような会計基準では欧州基準が世界標準（デファクト）となり、ＳＯＸ法や内部監査の仕組みでは米国とＥＵでは異なる基準を採用している。

ＩＳＯやＩＦＲＳといった、どちらかといえば実務的なルール作りは、英国を始めとした欧州に分があるようだ。また、ＥＵには、域内経済のルールなどを統一しなくてはならない、という、ある意味切羽詰まった事情がある。したがって、こういったルール作りにおいて、力を発揮しやすいのかもしれない。

日本においては、実際のところ古くから、米国よりも欧州に学ぶべき、という雰囲気がある。古い話になってしまうが、そもそも、日本の基礎となった政治形態や製造業の基礎は、欧州、特に英国から学んだものだ。

英国とは、日英同盟の昔から、日本とは縁が深い。同じような王政がある国として、島国として、議会制民主主義の国として、戦前までは最も親近感を持っている国だった。

しかし、戦後、日本が米国の影響を深く受けることになり、カルチャーや経済的な部分で、日本は米国風に、大きく変わっていった。特に戦後生まれの日本人は、圧倒的に米国主義の影響を受けている。しかし、元からある様々なルールの源泉や基本理念は、英国に発するものが多いのだ。

このように、現代日本のルールは、英国と米国が入り交じったスタンダードの中に生きている、ということが言えるだろう。

ＩＳＯやＩＦＲＳ、ＳＯＸ法などで見られるように、米国が、様々なルール作りにおいてスタンダードを取れそうで取れなかったのは、次のような理由がある。

①ＥＵのようなルール作りをしてそれを拡散する必然性がなかった
②国の数が、ＥＵに劣る
③歴史が浅く、伝統的な議論ができていないので、説得力に欠ける

米国は、この短い歴史の中で、力で色々な国に関与してきた。このことが、米国のＲＭ戦略を遅らせてきた面がある。

それは、欧州の伝統や歴史、という重みに対する、コンプレックスの裏返しかもしれない。

しかし、右に挙げた三つの点は、克服が困難な点でもある。

そこで、米国は、自国が現時点で最も力を持つ分野のひとつ、資金運用、という分野を使って、新たなＲＭ戦略を進め始めた。それが、現在まで続く「第二次資本のルール戦略」の始まりだった。

⑦株式会社は株主のモノ……米国の新たな戦略

資本主義の世の中で、「経営」に対する研究が最も進んでいるのは、米国だろう。そして、米国が重視するような経営分析指標や情報開示の手法には、流行があり、その流行りを世界のスタンダードにしようという動きが、そのたびに出てくる。実はこの動きは、投資ファンドの動向と絡み、米国の重要なRM戦略のツールとなっている。

こういった手法、すなわち、「投資」をテコに世界のルールをマネジメントしようとする動きが、リーマンショック以降の米国の特徴的な戦略だ。これを私は「第二次資本のルール戦略」と位置付けている。

例えば今、ROEや株主還元などの向上が日本企業への圧力となって浸透しつつあるが、まさにこれが経営指標の戦略ツールだ。このように、経営者を評価する「ルール」を作ってしまえば、作った国（の投資家）が、海外企業を指導し、その方向性を実質的に支配することができるだろう。このルールを守らないなら、株主として経営陣を批判する、といえば、日本企業はすぐにイエスマンになってしまう。

そして、そのルールが企業に受け入れにくければ、それはそれでメリットがある。そのルールを指摘し続けることで、企業の勢いを殺ぎ、最後には、経営陣入れ替えや買収の理由にすることができるからだ。

企業の保有者は株主であり、投資家だ。そして、世界中の多くの企業は米国資本に入られている。この資本を武器に、米国は自己流のルールを世界中に押し付けることを、一つの基本戦略としている。

これを可能とした背景には、米国で進んだ、「資本と経営の分離」がある。

資本、つまり株主と、経営、すなわち社長や役員は、役割分担が明確になされている。そのことの良し悪しは別として、両者が分けられることによって、米国には、「プロの投資家」「プロの経営者」というものが出てきた。その結果、投資家は多数の企業にポートフォリオを分け、それぞれの経営に圧力をかける。一方で経営者は、一つの企業での報酬が得られる上限になってしまえば、次の企業に移る、というカルチャーができる。

こうして、投資家や資本家は、「経営者を評価する」という立場をとる。そしてそこには、当然のこと、評価をするディファクトスタンダードが必要だ。このような経営者への評価基準、を、海外企業にも強制することが、彼らのＲＭ戦略の一つとなっているのだ。

しかし、そもそも、企業が株主の物であり、資本と経営は分離されている、という「常識」は、古くは英国、そして今は米国に強く洗脳されたカルチャーだ。例えば、日本人に、「会社はだれのもの？」と聞けば、その多くは「社長のもの」と答え、あるいは「従業員のもの」と答えるのではないだろうか。同じ質問を中国で行えば、会社は政府のモノであり、共産党のもの、という人もいるかもしれない。

日本でも、果たして何人が、「株主のもの」だというだろうか。

このようなカルチャーの中では、「経営を評価する」という土壌が育まれにくい。良くも悪くも、それが日本の株式会社の風土だ。

株式会社が株主のものであることは、株式会社の一面であるにすぎない。企業が成長してきた背景には、企業に関わるステークホルダーたち、すなわち、役員、従業員、取引先、地域住民、それらが「その企業の成長」という共通の目標に向かって進む、という「暗黙の常識」があったのではないだろうか。つまり、資本家は資金を出し、社員は労働力を提供し、地域住民は環境を提供している。これらの非財務資本がなければ、株式などはただの紙切れにすぎなくなる。会社の持ち分所有者は株主や投資家だが、そこに価値をつけているのは、他のステークホルダーたちなのだ。

もっとはっきり言えば、株主はいつでも株を売りさえすれば株主であることを止められるが、従業員や地域住民はそうではない。従業員は日本ではそれほど簡単に会社を辞めないし、会社が地域を引っ越すことも無い。少なくとも、株主のように、何の手続きもせず、指先一つでステークホルダーでなくなることは出来ないのだ。

そのように、いつでも辞められるような株主が、本当に会社の為に考えをめぐらすだろうか、あるいは社会の為に考えるだろうか。もし、考えられるとしても、それは、経営者や従業員、地域住民ほど切迫した考えにはならないのではないだろうか。そして、そういった人たちに、経営に対して強大な権限を与えることは、正しいことなのだろうか。

この問いに対する答えを、どういわれても、日本人の多くは素直に聞けない。特に日本の企業経営者にはそういった思いが強い。

そして、事実、ここには議論の余地が有り、近年、ＥＳＧ投資などの議論を通じて、優良な投資家から、改革の声が上がっている。


現代の日本企業の多くは、中長期の目標をもって生まれてきた。株主の利益だけではなく、地域の雇用に長期的に寄与すること、世界に価値ある財を長期的に提供すること、を大事にしている。

そこには、二つの日本特有のカルチャーがある。

一つは、地域性。

日本の地域企業では、短期的な利益よりも、地域に長期的に寄与することが大事だ、というカルチャーが強い。故郷を重視し、故郷の発展に寄与したい、という気持ちが、中長期の安定性を重視する風潮を生んでいるように思う。

もう一つのカルチャーは、「世界で通用する」ことを中期的な目標に掲げることだ。

言い方は悪いが、鎖国が２００年続いた、日本という島国の私たちは、いまだに「世界で活躍する」という言葉に魅了されやすい。

世界で活躍するまで、中長期的に企業戦略を練る、ということに、ステークホルダーたちは目標を一致させるのだ。

このような、「長期的収益を目指す」日本のカルチャーが、資本と経営、他のステークホルダーが一体となった長期戦略を可能としてきたのだ。

一方でこのことは、米国の「第二次資本のルール戦略」と相反してしまう。米国流の株式会社の在り方では、経営者は株主の為に利益率を高め、短期的な利益を出し、株主に還元する、という行動を理想とするからだ。

米国のRM戦略では、このカルチャーを日本企業にもしっかりと埋め込み、ついてこられない企業は買収して米国のモノにする、という考え方が基本となるが、日本では、米国には善意や正義を感じる癖がある分、警戒心がなく、逆に日本の企業風土こそが悪である、という自虐の念が芽生えてしまう。

⑧ 適時開示ルールに踊らされる日本の経営者たち

このような、欧米の「企業に対する考え方」は、東証の上場企業への管理にも、大きく影響をしている。

株式市場を運営する、日本取引所グループは、主に東京証券取引所の運営について自主的にルールを定め、取引所の健全な成長を目指す、重要な役割を担っている。しかし、東証のルール、すなわち自主規制ルールは、どんどん米国基準を取り入れている。

もちろん、株式市場の発達が遅れてきた日本にとって、欧米の理論やルールは、重要な先例であると言える。しかし、形式ばかりを取り入れ、魂を伴わないのが、東証の悪い癖だ。

特に、情報開示ルールの厳格化は、ただ海外の圧力に押され、年々進んでいるように見える。

上場企業の情報開示に対する負担は、その質量ともに、増えるばかりだ。

昔は、年2回、本決算と中間決算の発表だけで良かったものが、今では、四半期開示が義務付けられ、3カ月に一回は決算をしないといけない、というルールになった。

また、そればかりか、決算の発表は、決算最終日から45日以内に行わなくてはならない、という45日ルールが出来、余計に大変になった。

さらに、前述した米国のSOX法戦略により、J－SOX法監査とそれに伴う報告書を書かなくてはならなくなった。そして、その後、後述する英国型のコーポレートガバナンス・コードが適用されると、J－SOX法に加えて、内部統制報告書の提出が義務付けられ、その作成にも注力しなくてはならないのだ。

こういった開示体制は、いわゆる「国際基準」に近づけるために取引所が改革を断行していったものだ。

しかし、企業にとっては、３カ月ごとに決算を締めるだけでも、結構な負担になる。その事務作業的な負担もさることながら、経営者たちは、３カ月ごとに、なんらかの成果を出さなくてはならない、という脅迫観念に駆られるのだ。

この四半期開示のルールは、真面目な日本人を惑わすルールだ。「真面目な」経営者ほど、四半期ごとに成果を問われる、と思ってしまい、短期的な収益ばかりを狙うようになる傾向がある。

ひどい場合には、それが粉飾決算の動機になることさえあるかもしれない。

この点について、私が上場したばかりの会社の経営者と話すときには、決して3カ月ごとに良い数字を出さなくては投資家が売ってしまう、ということではない旨を散々言うのだが、額面通りに受け取る人の方が少ない。

株価は、中期的な成長性を理論的な背景にするものであり、目先の数字の変化は、それが構造的な変化でない限り、それほど影響はしない。

しかし、経営者からよく耳にする思いは、

「四半期の数値によって、実際に株価は動くし、四半期ごとに業績を気にしていたら、そちらに気がいって、中期的な策に手が回らない。中期的な成長の為に短期的な収益を犠牲にする、という考え方もできにくい」

という声だ。

しかし、これでは本末転倒というものだろう。

これは、米国社会で競争が激しくなる「プロ経営者」を評価する仕組みの弊害だといえる。米国では、プロの経営者と言われる人たちが、高額な報酬で、企業の業績を上げるために雇われる。彼らは在任中にその企業の業績を上げ、そしてまた、次の企業へスカウトされていくのだ。つまり、彼らは短期的に企業業績を向上させることで評価を得る。

しかし、プロの経営者などほとんど存在しない日本の企業が、そのような米国の社会システムに合わせるようなことをする必要は無い。そのように、自国の社会システムに合わないルールを強制されることが、日本の経済を破壊していく。そういった社会システムの違いを無視して、表面上の四半期開示などを進めていくことが、いかに危ないことなのかを、私たちは理解すべきだろう。

まず、経営者は、四半期ごとに数値を上げていかなくてはならない、という強迫観念をなくすことが大事だ。

対前期比、対前年同期比、対計画比、いずれの数値もずっと良い数値を続けていく、などということは困難極まりないことだ。

また、どんな業態であれ、また、どんな優良企業であっても年中右肩上がり、などということは難しいことを、投資家も知っている。毎月の気温が前年同月比で上がっていなくても、地球が温暖化に向かっていることを、誰も疑わないだろう。

そんな数値よりは、四半期ごとに、どのような中期的施策をうったのか、を自ら振り返ってみることのほうが大事なのだ。

2016年の大統領選で、ヒラリー・クリントンは、こういった短期主義的な経営を「四半期資本主義」と呼び、批判した。猫も杓子も自社株買いをし、短期的に経営指標を改善し、株主還元に明け暮れる米国資本市場の状態に冷や水を浴びせようとしたのだ。

実際、このような「四半期資本主義」を日本に広め、日本の優良企業の多くに害をなしたのは、米国であり、そこで強大な力を持つ「機関投資家」だ。

ヒラリー・クリントンのような主張を、なぜ東証や日本の政治家、財界ができないのか、ということが、本書の言いたいところでもある。

次にやっかいな問題は、自社で開示する「業績予想」だ。

「業績予想」の開示については、様々な意見があり、取引所と企業側で常に軋轢が生じるところだ。

というのも、取引所としては、業績予想は出して欲しい。出すべきだ、と思っている。投資家にとっても、もちろん、そうだろう。業績予想の数値は一つのベンチマークになる上、会社側の予算や予想の考え方を理解する材料になる。

しかし、会社側にとってみると、「業績予想」の扱いはやっかいだ。当然、会社はその期に達成すべき数値を持っているし、社内で共有をしている。しかし、それは「予算」「目標」であって、それを達成できない場合に、経営陣が責任を取る、というような、投資家に対する「公約」ではない。

したがって、多くの企業は、自社社内の予算とは別の数値（多少なりとも少ない数値）を業績予想として発表をすることが多い。

しかし、それはそれで、社員に見られた場合、

「なんだ、社員には厳しいこと言っておいて、自分は株主に対して、緩い目標を発表している」

と思われるのだ。

しかし、機関投資家やアナリスト向け説明会などにおいて出す予想について、「これだけの

数値は必ず上回ろう、しかし、社内の目標値はその上だ。それを達成すれば、これだけインセンティブがある」

というような合意を、幹部社員たちと形成することは可能なはずだ。

また、それとは逆に、社員からのヒアリングによる積み上げ数値を、業績予想として出す企業もある。こういった企業の業績予想値は低い場合が多い。そこには、現在の人事評価制度が影響を及ぼしている。

多くの上場企業では、社内の各部署では、それぞれが今期の目標値を提出するが、それに対する達成率が、時期の給与やボーナスに反映する仕組みになっている。そうなると、社員は、あまり高い目標値を設定すると、次期の給与が下がってしまう可能性が高くなるのだ。

したがって、当然に、社内積み上げの目標数値は低いものになる。場合によっては、実力の半分くらいになってしまうケースもある。

開示する業績予想を、どのように社内外で利用するかは、その経営者のリーダーシップの問題かもしれない。

取引所は、ガイダンスの中で、業績予想は、あくまで「予想」であって、「目標」ではない、と言っている。しかし、それは実体の仕組みの中では、そうはいかないのだ。

自社で発表した業績予想を達成できなければ、やはり株主からは批判される材料になる。逆に、それを達成し続ければ、評価されるだろう。

経営陣に、そのことを忘れろ、というのは酷な話だ。

また、予想数値が低くても、株主の期待を裏切ることになるかもしれない。「責任逃れ体質」「やる気がない」と思われる可能性すらある。

つまり、この「業績予想の公表」という制度は、下手をすれば、無理な業績予想につながり、最悪の場合、粉飾決算につながる恐れすらある。


私が取締役をしていた上場会社では、社員からの積み上げ予算と、株式市場での期待値、代表者や役員のやろうとする数値、の三つを検討の俎上に載せて議論をしていた。社員からの積み上げは、どうしても低めの数値になりがちだし、アナリストや『会社四季報』などの予想数値は無責任な数値だが、そこには、ある程度の客観性がある。一方で代表者や役員から見る予想値は、どうしても強気になりがちになる。

これらをどのように分析して公表する業績予想とするか、が、その企業のセンスだろう。


しかし、ゲーム会社や市況産業などのように、予想が立てづらい業種も存在する。そういった企業の中には、「業績予想」を出していない企業もある。さらに、一定の範囲で予想を出す企業や、次の四半期の予想を出し、通期の数値予想をしないなど、変則的な開示の企業もたまにある。

これらのルールやガイダンスは、取引所が、その都度細かい部分は修正をする。ただし、問題は東証が企業経営の経験に乏しく、外資系投資家のほうをむきやすい、ということだ。

日本取引所グループの取締役の中には、社外独立役員として数人の事業会社出身者がいるだけで、他は、証券業界や財務省関連の人材だ。

証券会社のOBが、取引所の主要ポストにつくケースは多いが、正直な話、証券会社ほど業績予想を作りにくい業種もない。だから、本当のことを言えば、誰も「分からない」のだろう。取引所では、業績予想をどうするか、という議論は、空論になりやすい。

いずれにしても、四半期開示も業績予想の開示も、一定のルールで定められていることだ。上場企業としては、それをどう社内のエネルギーに変えていくか、が、経営者の手腕と言える。

これらの開示事項が欧米の投資家からの要求だとしても、それをうまく利用することこそが大事だ。また、会社運営やコンプライアンス向上の邪魔になるのであれば、業績予想を出さない勇気も必要だろう。

出すのであれば、四半期ごとの業績や、業績予想の数値に対して、経営陣がなにがしかの責任を問われる、ということを恐れてはいけない。

しかし、問題は、これらの適時開示の強化が、主に「海外機関投資家」の需要に応えるためだ、ということだ。言い換えれば、米国は、「機関投資家」というものを、RM戦略の武器にする、という戦術を持っており、そのために、日本の上場企業の開示ルールを整備させようとしてきたのだ。

次章で紹介するように、2013年以降、アベノミクスが海外投資受入促進の為、ROEという指標を経営目標に掲げ、米国のルールを最大限受け入れる、という大胆な行動を起こす。そして、そのことによって、このROEもまた、決算短信の表紙に記載を義務付けられることになった。このように、日本の上場企業への開示ルールに対して、米国機関投資家が十分な影響力を持ったことが、米国に次の戦略を可能にさせたのだ。

3章　ROE・株主還元への偏重が日本経済の成長を抑える

① 台頭する英国発、二つのコードとそれを乗っ取った米国

2007年から2008年にかけて米国で起きた、サブプライム問題とリーマンショックは、2001年の米国同時多発テロやエンロン事件以上の壊滅的影響を世界経済に与えた。

その影響は、世界経済全体に及んだが、同時に、世界のルールマネジメントにとっても大きな転換期となった。サブプライム問題によって、米国の指導力は削がれ、RM戦争は、新たな局面へ移行したといって良いだろう。

前章「亡国の兵器、『格付け機関』の自爆」で触れたように、リーマンショックは、米国の「強力兵器」であったはずの「格付け機関」が、自国に向いて暴発したという、極めて皮肉に満ちた、そして、ある意味では象徴的な出来事だった。RM戦略においてでも、あからさまに一方的な戦術は、やがて破綻し、自国にとって致命傷にさえなる可能性がある、ということだ。

この事件では、米国格付け機関が、自国のサブプライム問題について沈黙し続けた末に、結局、急激な速度での格下げを行わざるを得なくなった。この格付けの急落によって、米国経済

は急速な信用収縮を招き、リーマンブラザーズに十分な準備を与えることができないまま、同社を破綻へ追い込んだのである。

この事件によって、米国は自国経済に瀕死の重傷を受けただけではなく、それまで、戦略的に拡げてきた自国由来のガバナンスルールであるSOX法や格付け機関の権威を、地に落としたのだ。

このとき、世界のRM戦争は新たな局面に入った。

ここで、主導権を発揮したのは、やはり米国のライバル、英国だった。

米国流の企業管理が、不測の危機を招き続ける中、新たな企業統治の仕組みとして、英国考案の仕組み、コーポレートガバナンス・コードとスチュワードシップ・コードを、世界へ広げ始めたのだ。

簡単に言えば、コーポレートガバナンス・コードとは、企業統治の仕組みとして社外役員の重視など、一定の手法の採用をスタンダードとして推薦するものだ。一方、スチュワードシップ・コードは、企業統治について投資家が経営陣と会話をして改善していく、という仕組みのことだ。企業を正しく導くのは、投資家である、というマネジメントの仕組みが、ここで大々的に提唱されたことになる。この仕組みは、世界最大の資金運用能力を誇る米国を喜ばせ、日本もまた、海外資本の力で長引く不況を乗り切るため、このシステムに乗った。2014年、アベノミクスの改革の中で、日本版スチュワードシップ・コードが採用されたのだ。

「株式会社」発祥の地である英国が、株式会社経営のルールを提唱するのはある意味当然のこととも言えるだろう。リーマンショックに始まる金融危機を防ぐため、英国は、２０１０年７月、このスチュワードシップ・コードを完成させ、提唱した。

実は、企業統治の分野における英国の歴史は長い。過去を振り返れば、英国の企業統治への本格的な取り組みは、リーマンショックが起きる15年以上前に遡る。当時、発展途上国向けの融資を積極的に行っていたＢＣＣＩ銀行（国際商業信用銀行）、マクスウェルという二つの金融機関で、不祥事が勃発した。ＢＣＣＩ銀行は、マネーロンダリングと粉飾決算で破綻し、マクスウェルでは、オーナーのロバート・マクスウェル氏による年金の不正流出事件が起きたのだ。これらの事件を契機に、英国ではコーポレートガバナンスの仕組み作りが独自に進んでいた。

その成果が、１９９２年に発表された、「キャドバリー報告書」と言われる、ガバナンスの基礎を提唱した報告書だ。

驚くべきことに、今から30年も前のこの報告書によって、すでに企業のガバナンスの向上について、機関投資家が責任をもって監視すべきだ、という主旨が説かれている。企業経営を投資家側から健全化させようという、スチュワードシップ・コードの原型をここに見ることが出来るのだ。

私が日本の証券業界に長らく関与して感じるのは、英国における投資家への信頼と、日本の機関投資家への信頼に、雲泥の差がある、ということだ。日本では、私たちアナリストの立場も弱いが、機関投資家もまた、聞こえは良いが、世の公共的信頼を勝ち得るような存在では無い。しかし、英国では、1990年代にすでに、企業の監視役としての機関投資家、という位置づけが期待されていたのだ。

また、英国のコーポレートガバナンスの仕組みには、Pro-Nedと言われる社外役員養成・派遣の為の公的機関が貢献していた。これは今の日本の状況に対して示唆に富む事実だ。社外役員の選任助言や育成などをこの公的機関が行い、企業に対して一定水準以上のスキルを持った社外役員を提供していたのだ。日本でもこれを参考にした、プロネッドという民間の社外役員の要請・派遣会社が活動をしている。それはそれで評価すべきだが、大事なことは、「公的機関」であることや、社外役員の報酬の決定権を誰が持つか、ということだろう。

ともかくその後、英国では、「キャドバリー報告書」は、他の報告書とまとめられ、1998年に「統合報告書（ターンブル報告書）」として、英国企業のガバナンスの規範となった。

2001年、機関投資家の役割の重要性を説いたマイナース報告書が提出されると、これに対応して、英国の機関投資家の組織であるISC（現IIC）は、投資家に対して、株主としての行動に関するステートメント公表を求めた。しかし、英国企業におけるガバナンスの動きは、ここで一度停滞した。やはり英国であっても投資家にそこまでの役目を負わせ、道徳を押し付けるのは、無理があったのだ。

一方、それとほぼ同時期、２００１年10月に、米国でエンロン事件が発覚し、米国の金融界が内部統制システムの制定に激しく動き、２００２年７月、米国でＳＯＸ法が制定されると、米国は、これと同程度のシステムの導入を、日欧の企業にも求めるようになった。

これが、前述した、ＳＯＸ法による米国のＲＭ戦略だ。

これに対して英国は、このエンロン事件と米国の圧力をよそに、一旦停滞したガバナンス推進の動きを進め、これまでの議論を２００３年１月、「ヒッグス報告書」としてまとめ上げた。

しかし、この「ヒッグス報告書」への英国企業の反応は冷淡なものであり、これが機能することはなかった（規程が細かすぎ、企業側に受け入れられなかった）。

そして、欧米において、その後も企業の不祥事は後を絶たず、２００８年にはリーマンショックが起こり、金融危機が起きてしまったことは、前述した通りだ。

この混乱により、米国流の内部統制はリーダーシップを失い、一度は停滞したはずの英国流内部統制システムは、コーポレートガバナンス・コード、スチュワードシップ・コードとして改めてまとめられ、息を吹き返すことになる。

英国でスチュワードシップ・コードが完成した2010年以降、安倍内閣では、低迷する日本経済の浮上についての議論が活発に行われてきた。そしてその成果は、2013年の「日本再興戦略」、いわゆる「アベノミクス」として世の中に出現した。その「日本再興戦略」の中心として掲げられたのが、「2020年までに海外からの投資を当時の17・8兆円から35兆円に倍増させる」という目標だった。

2012年12月に脱デフレのための「日本経済再生本部」が内閣内に設置され、翌年6月に「日本再興戦略」の中でスチュワードシップ・コードの検討が閣議決定されたのだ。つまり、このことに限って言えば、安倍内閣は、外圧でこのコードを導入したのではなく、より能動的にこれを受け入れ、海外からの資本流入を増やし、景気低迷に終止符を打とうとしたのだった。

スチュワードシップ・コードでは、機関投資家が企業と、「健全な企業経営」のために会話をする、という前提の下で、機関投資家が守るべきルールや、あるべき対話（エンゲージメント）の姿が示され、コード導入推進を受け入れる機関投資家は、道徳的な面での誓約を行い、登録をする。

一方のコーポレートガバナンス・コードでは、企業側が内部統制の仕組みを構築する際に、考慮すべき原則が挙げられており、これに従うか、従わないならその合理的理由を示せ、という内容となっている。

「日本経済再生本部」によって検討されたこれらの内部統制の仕組みは、「日本版」として多少の修正の後、２０１４年2月26日、導入が決まった。これによって、日本の機関投資家たちは、何の実績も無いまま、日本経済の再興の役割を、外国人投資家らと共に担うことになったのだ。

このスチュワードシップ・コードの導入については、アジア各国でも検討されているが、それほど評判はよろしくない。たとえば、韓国では、財界の大反対により、実現は困難になっている。

私は、この両コードについての基本的な疑問点を、二つ持っている。一つは、この二つのコードが、ガバナンスを受け持つ企業側の社外役員と、エンゲージメントを受け持つ機関投資家、という二つの機能に対する性善説を大前提としていることだ。

つまり、この二つのコードは、一見システムを重視しているようで、結局は「人」に帰結する仕組みにすぎない。しかし、果たしてその性善説は正しいのだろうか。そこには何一つ合理的な根拠など存在しないように思う。社外役員以外の経営者に対して性悪説で臨み、社外役員や投資家に対して性善説で臨む、というその考えは、いったい何に根差すのだろうか。エンロン、ワールドコム事件の影響が、ここには色濃く表れすぎている。この二つの事件は、世界中の経営者の信用を貶めたと言って良いだろう。更に、欧米では日本と異なり、経営者の報酬は目もくらむような水準であり、「性悪説」で捉えたくなる周囲の見方もあるだろう。そして、相対的に浮上したのが、投資家への信頼だ。そう考えると資本主義社会のシステムは、大小の差はあれ、「誰かの善意」にすがっているにすぎない、ということができる。

私は過去、ある企業の不祥事において、問題がある監査役を解任するのに、会社法の壁に当たった経験がある。内部統制の柱として監査役がそう簡単には解任できないようになっている現在の会社法では、社外役員や監査役が「ダークサイド」に落ちたときには、法律は、見事に悪の味方となる。

また、不祥事が絶えない機関投資家に、企業統治の監視役を期待する、というのは、少なくとも今の日本では無理に思えて仕方ない。日本では公募増資の情報を元に、長年にわたりインサイダー取引をしてきたのは機関投資家であり、海外でＴＩＢＯＲを操作して自社の利益を演出しようとしたのも機関投資家だ。

私自身も多くの機関投資家と付き合いがあるが、彼らは社会的な使命とは距離がある存在だ。彼らに、企業統治を語るような職責が全うできるかどうか、不安が残る。それは、知識力や倫理観の問題ではない。職業的に何を訓練されてきたか、という問題だ。利益至上主義の最先端でスキルを磨いてきた人材に、企業統治の問題は似合わない。

まして、彼らに日本経済の再興を背負わせるのは酷だろう。彼らは選挙で選ばれたわけでもなければ、資格を持っているわけでもない。ただ、自分の上司や自社の株主に仕えているだけの存在である事実を、どう消化すれば良いのだろう。

何より、日本には、英国のようなガバナンスを試行錯誤してきた歴史が無いのだ。紆余曲折を経た歴史の上にそれを導入した社会と、とってつけたように導入する社会では、その運用に雲泥の差が出るのは、当然だ。

二つ目の疑問は、英国流のコードを、システムの有効性を評価して採用しているつもりが、実は、結局このコード導入が、ROE（株主資本利益率。後述）や株主還元重視へという、具体的な方向性を持ってしまっていることだ。

本来、前述したように、英国におけるスチュワードシップ・コードとは、企業のガバナンスについて、機関投資家が独自の立場で企業と会話をする仕組みだ。しかし、アベノミクスで採用されたスチュワードシップ・コードでは、いつの間にか、ROEの向上などを主体に投資家と話をする仕組みが取り入れられてしまった。つまり、形は欧州型だが、中身は米国流の経営指標押し付けの武器と化しているのだ。

コードそのものに具体的にROEを重視、などと書いてあるわけではないが、資本コストを意識し、それを上回る収益を上げることを、企業と投資家の共通の目標をすることが、その目的となっている。これはとりもなおさず、ROE重視につながる。そして、機関投資家たちは、議決権行使助言会社などの提言と連動した問題意識で企業側と会話をする。すると必然的に、機関投資家はスチュワードシップ・コードの活動の中で、ROEや株主還元、といったテーマについて企業側に圧力を加えることになるのだ。

外資による投資を進めるために決めた、この両コードの導入は、日本政府が期待した役割を通り越し、米国の資本理論を押し付ける、大きな道具と化した。日本の多くの専門家は、両コードの採用で日本企業が海外の投資家と、グローバルな価値観を共有するようになり、経営の現代化が進んだ、と評しているが、それは単に、米国機関投資家の立場に立った意見だろう。

さて、ROEの弊害については後の項に譲り、まず、ここでは企業ガバナンスに話を集中してみよう。

コーポレートガバナンス・コードで重視されるガバナンスの仕組みは、経営と資本の分離、経営を監視する役割の徹底だ。特に、経営者を監視・評価すべき社外役員の役割、機能と人数などが重視される。

しかし、日本では実際には、会社内でこのような緊迫した監視体制を構築することは難しい。「和をもって尊しとなす」文化では、どうしても馴れ合いにもっていこうとする力学が働く。この力学に逆らって、徹底的に監視体制を敷くには、現状では、法令化などしか手は無いだろう。だが、それでも実効性は疑わしい。それは、日本の教育制度、日本人の民族性に関わることだからだ。

英国流ガバナンスの仕組みは、「投資家」を守るために作られている、という面がある。そして英国流の「投資家」は、その企業のビジネスモデルとガバナンスシステム、そしてそのシステムを運用する人材を信じるのだ。だから、その「システム」の進化と徹底を要求する。

例えば社外役員を過半数にして、ガバナンスを形にしても、それが機能するかどうかは、前述したように、究極にはかれら自身の人間性にかかってしまう。また、社外役員がなんらかの原因でその職責を全うできなければ、システムは表立って機能しているように見えるだけで、内実はその逆だ。

海外で社外役員が機能するのは、社外役員がその職責をよく理解し、個人として意見を声高に言うことができる教育を受けているからだろう。自分の意見によって、会社全体の機能が止まったとしても、それは二の次であり、まず自分の仕事を果たすんだ、という意識を持たなくては、社外取締役は務まらない。

しかし日本では、多くの社外役員は、自分の本来の役割を忘れ、悪い意味でいつの間にかその企業に同化し、その身になって考えてしまう。このような「思いやり」は個人としては愛すべき一面ではあるが、英国流コーポレートガバナンスの観点からは、歓迎すべきことでは無い。

つまり、このコードは結局このままでは、日本の国民性に合わず、機能しないだろう。英国流のガバナンスシステムは、システマティックに構築される内部統制と共に、結局は「人の職業意識」を信じることに、その機能を依存させている。

企業という集団の中で、個人の「職業意識」という不明確なものを重視することに、「罪悪感」を覚える日本人は多いと思うが、その「遠慮」が、結局できもしない内部統制の仕組みを作り、失敗に帰結している大きな要因なのだ。

日本では、「取締役、社外役員、監査役などの教育が行き届いていない」という意見は、確かに正しい。しかし、教育でなんとかなるものかどうか、という疑問もある。もっと、日本人の気質に合致したガバナンスの仕組みを発明するほうが、効果があると思う。

例えば、社外役員は、必ずガバナンス専門の会社や法人に所属または契約することとし、毎回、取締役会の録音などをそのガバナンス会社と共有する、という仕組みがあった方が良い。つまり、社外役員にも監視役をつけると同時に、社外役員に「会社」という後ろ盾を作るのだ。そういう形式をとれば、社外役員は、「会社がこの議案には十分な審議をしろ、とうるさいんだ」というスタンスでモノを言うことが出来る。

前述したPro-Nedの日本版だ。

さらに、社外役員への報酬は、全上場企業に、常に半ば公的な機関への支払いを行うことを義務付け、そこから社外役員が所属するガバナンス会社へ支払われるようにしたほうが良いだろう。社外役員たちの「会社から報酬をもらっている」というスタンスが、遠慮を生む根本的な原因でもあるのだ。また、会社側も、「報酬をこんなに払っているのだから、自分たちの言うことを聞いて当然」という意識は、必ず潜在的に存在する。この報酬の在り方こそが、多くの不祥事の遠因となっていることもまた、明白だ。このシステムを改革しない限り、日本では社外役員が機能することは無いと感じる。

日本の風土には無理な企業の仕組みが軋轢を生んだ事例が、近時はいくつか出ている。例えば、２０１６年4月に勃発した、セブンアンドアイＨＤの鈴木会長辞職事件は、まさに驚かされる話だった。

鈴木会長といえば、コンビニエンス業界の生みの親ともいえる人物で、日本では数少ないプロの経営者の一人だ。しかし、彼の策定した人事案（セブンイレブンジャパン社長の交代など）に対して、大株主などが反対し、指名委員会（任意の委員会）の意見を待たず（指名委員会も反対の立場だったが）、取締役会で否決され、鈴木氏はそれをもって辞任をした。

この一件は、大きく報道され、何人もの経営評論家が、「ガバナンスが機能している」と評価した。

しかし、本当にそのような評価ができるのだろうか？

鈴木会長は、指名委員会で否決されるのを察知し、それを待たずに取締役会決議で勝負をしたのだろう。そしてその裏で囁かれるのは、創業家である伊藤家の存在だ。人事評価、という微妙な問題において、経営現場の会長ではなく、創業家が好き嫌いで評価をし、その影響力を指名委員会に及ぼしていると考えると、これはとてもガバナンスが生きている、という話ではなく、指名委員会が独立性に欠けている、という話になる。

同じような話が、その後、次々に日本の有力企業に出てきている。セコムの社長会長の突然の辞任、大戸屋の人事問題、昭和シェルの合併問題、クックパッドの経営方針問題など、数え上げたらきりがない。

もちろん、このうちのいくつかには、欧米流コンプライアンスの導入のおかげで、ブラックボックスがきれいになり、膿が出たという事例もあるだろう。しかし、その逆も多いはずだ。

こういった事例を見るたびに、日本人にはいまのガバナンスの仕組みは合っていないように思える。私は、企業統治の問題に、これを合わせるのではなく、国民性に企業統治の仕組みを合わせるべきだと思う。

そして、日本の経済・法曹界が、日本流のガバナンスを徹底して開発し、追及するのが、正しい在り方だろう。

例えば、2015年のショッキングなニュース、東芝の粉飾事件がある。東芝と言えば、日本有数の優良企業だ。

「財界総理」と呼ばれる経団連会長を輩出し、お茶の間では国民的アニメ『サザエさん』のスポンサーとして、子供でもその名前を知っている。

この東芝が、もう何年も前から、３代にわたる社長時代を通じて、数千億円規模の粉飾決算を行っていたことが判明したのだ。

この事件は、特に海外投資家にとって、驚きが大きかったと言える。それは、東芝が、少なくとも外見上は、コンプライアンスに熱心であり、日本企業において「委員会等設置会社」という仕組みをいち早く採用した企業だからだ。


そもそも、東芝のような大企業で、コンプライアンスが効いていなかった、という事実は、何を意味するだろうか。

それは、他でもない、

「現在の日本企業社会において、欧米のコンプライアンスシステムは機能していない」

ということだ。

つまり、日本企業は、欧米の圧力により、その仕組みを取り入れる振りをして、その実、その精神を全く理解できていなかった、ということだ。

なぜか。

答えは簡単だ。

国民性が違い、企業風土が違い、周囲の環境が違い、教育が違い、さらには法律が違うからだ。

これだけ違う社会に、同じルールを適用しても意味がない、ということを、東芝事件は、国際社会に明示したと言えるだろう。

委員会設置会社であることも、有能な社外役員を多く採用していることも、監査報酬を多額に払っていることも、結局は、何一つ役に立たなかったわけだ。


しかも、この問題のマスコミ報道は、お粗末そのものだった。それは、東芝の不正の根幹が、経営陣による、営業サイドに対する過度な圧力によるものだ、という単純な報道だ。

東芝では、予算自体が初めから無理な数値を、現場に無理やり押しつけられた、という話がある。

しかし、利益を上げようとする企業の多くは、「営業に無理をさせている」のだ。もっといえば、営業担当者が自分で持ってくる予算など、そのまま採用する経営陣は、少ないだろう。

営業は、無理をして、初めて営業と言える。

その限界の果てに、顧客は生まれ、商品に工夫がこらされ、市場は成長していく。こういった正当な営業努力や営業管理をも否定するような報道姿勢は、日本の経済を衰退させる方向にしか寄与しないだろう。

近時は、「働き方改革」の流れもあり、過度な仕事の強制は「悪事」だということになっている。しかし、この「働き方改革」についても、私は不安で仕方がない。野心がある社員、向上心がある人がやりたくてやる仕事は、誰にも止めることは出来ない。改革が、優秀な社員の向上心を削ぎ、社員は、おそらくそうした行動をしているだろう。改革が、優秀な社員の向上心を削ぎ、社員教育の効果を減じる、ということも現実には起こり得る。

無理な予算も、営業への叱責も、企業の正常な活動だ。「働きすぎ」や「パワハラ」と、「厳しい営業管理」は別物であり、両者を一緒にして排斥することは、企業の弱体化を招くだけだ。日本の労働生産性は落ちこんでいると言われて久しい。日本人は働き過ぎだから、少し自分の時間を作って、消費を盛り上げてほしい、という構図は簡単でわかりやすい。

しかし、考えなくてはならないのは、欧米社会での「働き方」は、日本で行われている「働き方改革」の姿と本当に一緒なのだろうか、ということだ。欧米では、時間ではそれほど働いていないように見えるが、実は、より厳しい評価や課題を与えられているのではないか。あるいは、やる気がある人にはより大きなインセンティブがあり、自主性がより自然に育まれるようになっているのではないか。

そういったシステムの違いを無視して、労働時間にのみ焦点を当てて改革をすれば、そこには単なる「ダメ社会人」を生むシステムが出来上がるだけだ。

日本はこの改革の後でも、欧米と離れてしまった差を、挽回できるのだろうか。

そこには大きな不安がある。またしても日本は、その本来の主旨を理解せずに、形だけを欧米に合わせようとしているのではないだろうか。


少し話がずれたが、東芝が悪いのは、営業努力への圧力ではない。3日で120億円利益を上積みさせろ、などという、経理処理変更への圧力なのだ。

私も、ある企業の粉飾決算事件の際には、散々、東京地検特捜部と意見交換をした。そのときに検察官が再三言っていたのは、経営陣が、現場に対して、無理な予算を押し付けたのではないか、ということだった。社長会長が、社員に対して、こんな目標ではダメだ、と強く言っていたのではないか、という質問を何度もされた。

正直、腰が抜けた。

検察官は、さすが民間の社会経験が無いだけあって、言うこと感じることが、浮世離れしている。

経営陣が、社員から出てきた予算目標に対して、紙をビリビリに破いて目の前で投げつける、など、私のいた証券会社ならごくごく普通のことで、それが犯罪の証拠となるようなら、日本に合法な営業会社などなくなってしまう。

②過度のROE偏重が日本社会を害する理由

コーポレートガバナンス・コードと共に導入された、スチュワードシップ・コードと、その運用上のキーとなるROEについて、話を進めよう。

2013年になると、RM戦争に、アベノミクスが飛び込んでいった。

前述したように、日本の政権は、経済の低迷から脱するために、米国のRM戦略の中に故意にとりこまれていったのだ。

「アベノミクス」では、「成長」を一つのキーワードにしている。そして、上場企業の使命は、「持続的成長に向けた資金を獲得し、企業価値を高めていくこと」とされる。企業がそのための投資資金を獲得する為、上場企業と投資家の間では共通の指標を持った議論がされるべきとし、そこでできた指標がROEであり、その理論的バックボーンとなったのが、「伊藤レポート」である。ROEとは、自己資本でどれだけの純利益を稼いでいるか、を表す利益率だ(当期純利益÷自己資本。後に詳述する)。

米国は、リーマンショックによる大失策にもかかわらず、英国主導のスチュワードシップを自国の機関投資家に運営させることで、日本企業に対するコミットメント力を強化することに成功した。

米国は、自国の投資力を使い、国際的な経営のルールを米国流に統一することを戦略としていたが、「アベノミクス」では、それに安倍政権が乗った、と言うこともできる。安倍政権としては、そうすることによって、日本企業への投資は活発になり、株式市場が活況になることで、20年来の低迷から抜け出す、という狙いがあった。

前述したように、２０１３年6月、第二次安倍内閣は、「日本再興戦略」を閣議決定し、その中で２０２０年の海外投資家による対内投資の目標を35兆円（当時の約2倍の金額）と定めた。

この目標を達成するために採られた政策が、英国流のガバナンスシステムと機関投資家との対話、そしてＲＯＥを軸にした経営指標の統一だった。ＲＯＥを高めることこそが企業の基本的な経営目標となるべきだ、というルールが、日本でマネジメントされたわけだ。

しかし、この安倍内閣の方針は、その後一定の成果を出したものの、結局は日本国内のＧＤＰ成長率を抑える方向に向かってしまう。ＲＯＥ重視・株主重視の社会への変革は、20年にわたる低迷を脱するには仕方なかった策だとも言えるが、その実現のために、本来徹底してなされるべきであった、社会科学的な考察がそれほど行われなかった。このことが、本書で紹介している、反省すべき要点である。

もっとも、これはある程度、仕方がないことだったかもしれない。プラザ合意以降、様々な試練の中で、日本経済があの超低迷状態から脱出するために、何かを犠牲にしてきたとしても、非難されることではないともいえるだろう。常に理想を追い求めることは困難に過ぎる。しかし、環境問題や新型コロナ問題が世界を追い詰めつつある今、日本は、その過ちを正すべきタイミングに来ているのではないか。

本書ではここで、その意味と原因について、説明をしていこう。

ROEを経営目標とすべし、という「伊藤レポート」の筆者、伊藤邦雄氏は、一橋大学教授であり、「持続的成長への競争力とインセンティブ」プロジェクトの座長に就任していた。彼のレポートによれば、企業は、資本コストを超過するROEを達成すべきだとし、「日本型ROE経営」が必要だとする。

また、グローバルな投資家との対話の中では、最低でもROEは8％以上とすべき、としている。

「グローバル経営を推進するには、国際的に見て広く認知されているROE等の経営指標を経営の中核的な目標に組み入れ、それにコミットした経営を実行すべきである」

とそこには書かれている。

このパターンは、プラザ合意の際の「前川レポート」と、本質的には変わらない。円高を容認し、超低金利を正当化して内需主導型経済を構築すべき、という主張を理屈にしたのが前川レポートであり、一方、伊藤レポートは、欧米の意向に沿って、特に米国の投資家の重視する指標、ROEを日本企業にも強制的に嵌め込むにあたって、日本政府がその理論的背景としたものだ。

ROEとは、簡単に言えば、株主の資産を使って、どれだけの率の利益を出したか、という指標だ。

ROEは、この伊藤レポートの前後を通じて、俄かに日本での市民権を得た。取引所は、JPX400というインデックスを開発し、そこに組み込む銘柄の重要な選定基準にROEを挙げた。また、米国の議決権行使助言会社ISSは、ROEが5％に満たない企業の代表者への役員信任をしないよう、クライアントに助言する、と発表した。

その結果、多くの日本企業がROEの重視を打ち出した。

これらの一連の策は、黒田日銀の「異次元緩和」と相まって、株式市場を押し上げ、日本経済の浮上に大きく寄与したといって良いだろう。

伊藤レポートが発表された2014年8月から約10カ月の間に日経平均株価は、1万5424円（2014年8月末）から2万4448円（2017年10月）まで上昇した。

こうしたことから、アベノミクスが米国の戦略に「取り込まれ」た策はほとんどの専門家から評価されている。

しかし、その実績の裏で犠牲となったモノは何だったのだろうか。これを把握して初めて、伊藤レポート、アベノミクスの評価は可能になるだろう。

ROEは、実際のところ、古い投資指標で、欧米ではごく一般的に使われてきた指標でもある。日本でも、外国人投資家の比率が高くなると、これまでも一時的にROEの向上が提唱されたことはあったが、これまでは、あまり本気では重要視されてこなかった。

三菱UFJ信託銀行のレポートによると、ROEが取り沙汰される以前の2012年6月から2014年12月までの平均的なROEは、日本企業が6・3%に対して、米国は13・4%にもなる。

過去の日本で、ROEがあまり重視されてこなかった理由は、企業の「稼ぎ方」そのものに関する二つの理由がある。

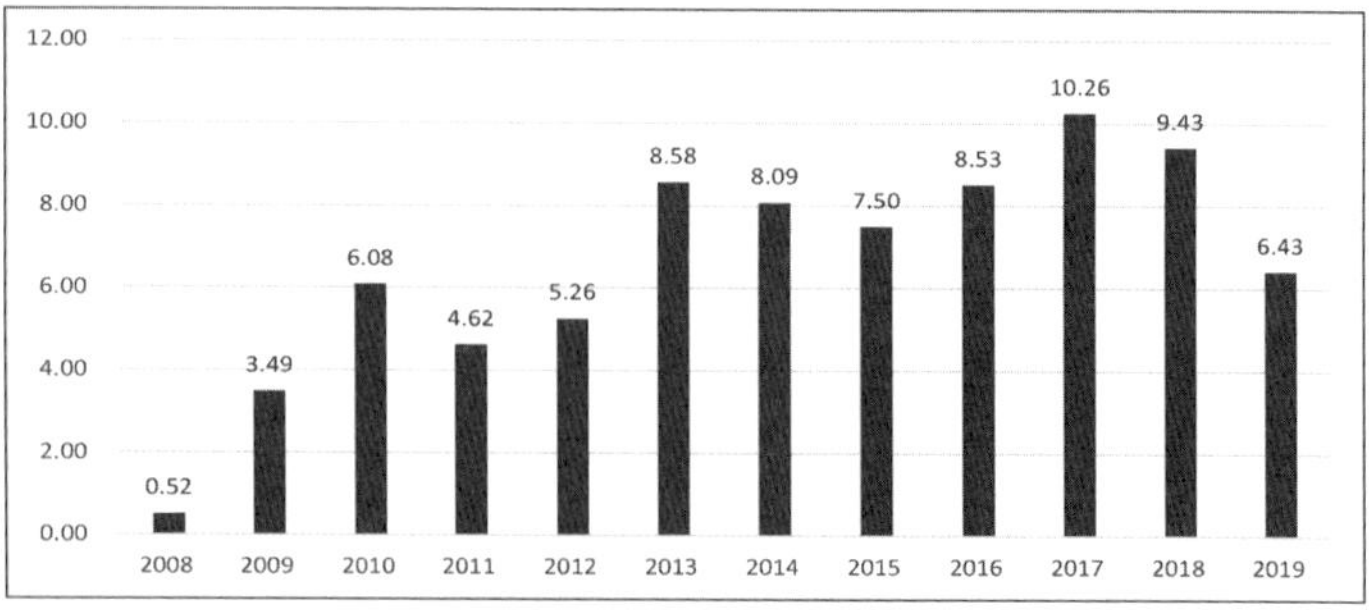

日本企業のROE推移

一つは、日本では企業が株主のものであるという意識が希薄であり、株主から見た利益率を重視する土壌がなかったことだ。

ROEというのは、あくまで株主としての立場から見た経営指標だ。自分が拠出した株主資本からどれだけの利益を出しているか、という意味だからだ。しかし日本では、上場企業でも、経営者と筆頭株主が一致するケースが多かった。つまり、企業（経営者）は、投資家・株主によるプレッシャーにさらされにくい環境だったのだ。

もちろん、最終的な利益を重視すれば、株主兼経営者にとっても、自らが得る配当や役員賞与は大きくできるだろう。しかし、日本の経営者・株主はこれまで、そうした個人の利益より、別のものを重視してきた。

そこに、二つ目の理由がある。

日本の経営者や株主は、目先の利益よりも、中期的に企業が成長するための商品市場、地域などにおける企業のポジション、存在感を重視する傾向がある。このポジションを得るために、企業は、株主以外のステークホルダーたちに貢献しようとする傾向があった。

いわゆる「三方よし」とする考え方がそれに当たる。

まず、企業は、消費者の為に安くて良いものを提供しようとする。その結果として、消費者はその企業を支持し、企業は薄利だが大きなシェアを確保する。それは、製造業も小売業も同じだ。そして、地域での雇用を進め、頑張った従業員に高い給与を払い、地域に莫大な税金を落とし、様々な施設を整備し、イベントや寄付を行う。

こうした活動で、市場におけるシェアを安定的に獲得し、優秀な従業員を揃え、地域に応援される存在になれば、「儲けること」などいつでもできる、というのが日本的経営の考え方だ。

このように、低利益率でシェア重視、最終利益軽視、という日本企業のコンセプトが、ROE優先主義と相いれないことは明白だろう。


また、日本企業では、その財務面での特質からも、日本ではROEを高めるという需要は高まりにくかった。なぜなら、日本では「健全な財務」が高い評価をされてきたからだ。そして、「健全な財務」には、「借入を自制する」という意味が強く、無借金経営を理想とする風潮がありさえする。これでは、ROEの向上は望めないだろう。できるだけ借金をして、事業に使える資金を極限まで高め（これをレバレッジと呼ぶ）、投資をして利益を出す、という行動こそ、ROEを高めることになるからだ。また、借りた資金で自社株を買えば、さらにROEは上昇する。この仕組みについては、後程詳しく紹介しよう。

日本企業が「健全な財務」を重視してきたのには、理由がある。それは、「日本では、災害や火事が多い」という風土的な特徴だ。借入をどんどん増やせば、もし何か災害があった時に、資金を用意していなければ返済に支障が出るかもしれない。さらに言えば、そのような時にも生産を止めず、給与を支払い、地域を助けるのが企業の役割でもある、と日本では考えられてきた。日本では、災害や火事は、常に「起こらない方がおかしい」事象だ。これに対する備えは、当然企業の財務戦略に反映される。企業にとっては、そういったときの為の資金を貯めておくことも、重要な戦略なのだ。誤解を恐れずに言えば、「備え」が出来る企業にとっては、「災害」はシェアを拡大する好機ですらある。

もし世界中のほとんどの企業が高ＲＯＥ方針を打ち出せば、大不況や世界的な大災害が来たとき、すべての地域が大混乱に陥るだろう。ほとんどの企業がレバレッジを利かすために借入を最大限に使えば、経済がクラッシュした時に、金融システムはそのショックに耐えることはできなくなる。その結果、再びリーマンショックのように金融システムは麻痺し、不況の谷は底なし沼になってしまう。ＲＯＥ重視が偏重した社会とは、クラッシュするリスクが高い社会の事を言うのだといって差し支えないだろう。

２０２０年、新型コロナ感染拡大によって、米国の航空会社ボーイングは危機的状況となったが、同社はそれまで度重なる墜落事故によって業績が悪化しているにもかかわらず、ＲＯＥを維持するために借入をして自社株買いを行う、という株主還元を繰り返してきた。新型コロナ感染拡大によって、世界を往来する人は激減し、同社財務状況は危機的状況となったが、これは自業自得と言える。本来企業や社員を守るためにも使うべき資金の多くを株主にすべて還元してしまったことへの報いは、経営陣が甘んじて受けるべきであろう。この例はボーイングに限らず、新型コロナによる危機で、米国企業の多くが、このような状況に陥った。

ＲＯＥを高めるために借入を増やすことに対するリスクを否定する人は、「不況は徐々に来るから、経済行動はそれを予見し、制御できる。だから万一の時の資金を置いておくなど、無駄なことだ」あるいは、「急に来る災害には保険制度や政府の政策が、カバーする」と思っている人たちだ。しかし、これまでの歴史が、その見通しが甘いことを証明している。東日本大震災は予見できただろうか。新型コロナ感染拡大は予見できただろうか……。そのとき、保険でどれだけの企業が助かっただろうか。政府の財政政策はどれだけ機能したのだろうか。本来、予見可能であったリーマンショックでさえ、制御とは程遠い状態となってしまったのだ。

一方で、すべての企業がＲＯＥを軽視すれば、世界の投資事業は低迷し、高収益を狙う資金は企業に集まらなくなるかもしれない。もちろん、投資に関する理論が再構築されれば、そういった懸念は薄らぐし、本書の目的の一つは、その理論再構築を訴えることだ。しかし、世界にはＲＯＥを重視する経営を続ける企業があってももちろん良い。災害が少なく、環境維持に大きなコストがかからない地域・業界にある安定した企業は、ＲＯＥを重視した経営に最適だと言える。

世の中にはＲＯＥを重視する企業、それほど重視しない企業が共存すべきであり、自然社会と同じで、企業の多様性を、私たちは受け入れるべきなのだ。それが、私たちが資本主義社会の中で、「全滅」を免れる方法の一つなのだ。

前述したように、2020年に世界中を恐怖に陥れた新型コロナウイルスの感染拡大に対し、多くの米国企業は何の対策も講じることが出来なかった。米国では資金のほとんどが株主に還流してしまっており、こうした時に、多くの企業は自主性を失ってしまう。政府や公的機関に救済してもらわなくてはならないからだ。

もし企業がROEを重視せず、株主還元よりも内部留保を重視していたなら、人工呼吸器などをもっと早く大量に世界へ供給し、多くの人の命が助かったかもしれない。

日本は災害が多いという特殊な環境にあることも事実であり、これは明らかな地政学的な条件の違いだ。この「いつ災害に襲われるかしれない環境」が、健全な財務（＝借入を自制し、キャッシュをキープしておく、という行動）に正当性を持たせ、ROE優先理論の汎用性を否定するだろう。もちろん、地政学的条件には様々なものがある。政治的に安定していない国もあれば、王政が色濃い国もあるだろう。資源が足下で取れる国と、はるかかなたから輸入しなくてはならない国がある。夏が無い国もあれば冬が無い国もある。大国と隣り合わせの国と、小さな国が集まっている地域の国がある。つまり、投資理論は、その投資対象の地域性を考慮し、対象地域によって、全く別の投資基準を当てはめるのが妥当なのではないだろうか。

このような「資本主義の多様性」については、実は20年以上も前から、学者たちは研究を進めてきた。代表的なものは、政治学者ピーター・ホール氏と経済学者デビット・ソスキス氏の研究だろう。彼らは、世界の資本主義国を「自由な市場経済＝LME」の国と、「調整された市場経済＝CME」の国に分けた。彼らによれば、LMEの国々（米国・英国・カナダ・オーストラリアなど）では「効率」が最も重視され、株主利益・権利が尊重される。一方のCMEの国々（日本、フランス、ドイツなど）では、社会的組織がより重視され、他のステークホルダーの利益を重視する傾向にあるとされる、とした。

この研究成果は、本来、投資理論にも反映されるべきだが、今のところ、そのような動きを私は知らない。

CMEの国々は、これまで、幾度となくLMEの国が提唱する「グローバルスタンダード」によるRM攻撃を受けてきた。そのたびにCMEの諸国にも株主重視に傾く時期があり、また時間を経て元へ戻る、ということを繰り返している。しかし、重要なことは、LMEとCMEという違うタイプの国々が、その多様性を認めあって生きていくことだろう。

日本や中国と米国は、明らかにタイプが違う社会だ。さきほど書いたように、日本の企業には、ROEを重視できない事情がある。確かにROEは、一つの投資指標として有効ではあるが、すべての企業についての共通の物差しとして使うようなものでは無いのではないか。まして、グローバルスタンダードとして世界中が認知するには、議論が不足している。

さらに言えば、近時の中国経済の台頭は、米国のROE重視の結果だと疑うこともできる。その理由は、ROE重視が、欧米企業の中国企業に対する価格競争力を喪失させているのではないか、と思われるからだ。

中国や日本は、製造業を中心に発達してきた企業社会であり、企業人の頭脳は、「いかに安く、良いモノを作るか」に集中してきた。そして、コストを下げた分、価格を下げ、低利益率、高シェアを良しとしてきたが、米国では、ソフト、つまりコンサルティングに代表される頭脳労働に高付加価値を認め、発達してきた社会だ。

この違いは大きい。

例えば、日本では弁護士や会計士、プロの経営者に高い報酬を払う、という土壌が無い。弁護士に何億も払うとか、プロの経営者に何十億も払ってきてもらう、あるいはコンサルティングに多額の予算を割く、といったことに抵抗があるだろう。目に見えないものに、価値を認めたがらないのだ。しかし、欧米では、彼ら頭脳労働者はリスペクトされ、多額の報酬を得るのが当然とされている。

同じように、企業の研究者や開発者への給与も、日本では決して高くは無い。そして、広く知られるように、中国では知的財産への認知度は非常に低い。こういったことが、日中と、米国の、製品・サービスの価格と利益率に差をつけているのだ。

この利益率の差は、それを提供する企業のROEの差になって現れる。

そして、米中の先端技術を巡る争いの中で、この価格差、利益率の差、ROEの差は、むしろ米国の価格競争力を削ぐという結果も生む。ROE至上主義にさらされている米国企業に対して、利益をそれほど生む必要が無い中国経済では、同じ技術でも、米国のサービスより、低価格で提供することが出来るからだ。目に見えない権利や技術、コンサルティングのコストが高い米国の商品は、中国に価格競争力では勝つことは難しい。

では、企業価値算定の観点から言うと、日本や中国の企業は、資本コストに対するリターンが低いので、企業価値が低い、ということになるのだろうか。ここにも、現在の企業価値算定方法の瑕疵が隠れている。

企業価値を算定する方法として広く使われているDCF法では、予想可能な数年間のキャッシュフローと、それ以降の永久成長率を仮定したキャッシュフローを資本コストで割り戻して評価する。

このとき、目先数年間の資本コスト割引後の将来キャッシュフローは米国企業のほうが高くなりやすいが、永久成長率は日本や中国企業の方が高い（価格競争力が高く、利益を享受できる期間が長い）、と想像することが出来る。そうなれば、総合的な企業価値は、日中の企業の方が高くなりやすいはずだ。しかし、現状の企業価値分析理論の中では、永久成長率の算定方法が曖昧（どうせ分かりっこない、という諦め）であり、このような「企業の寿命」を正しくその価値に反映できないのだ。そうなると、日中の企業の評価は不当なものになりやすい。これもまた、現在の投資理論の限界であり、現実との誤謬だ。

また、資本コストの概念にも改革が必要だ。株主以外のステークホルダーの存在を、資本コストの理論は全く無視している。

近い将来、現在の企業価値算定理論は、前時代の遺物とされるだろうと私は考えている。

ちなみに、「高ROEの強制」に、日本政府の代弁者とされたのが、さきほど紹介した「伊藤レポート」だ。しかし、誤解が無いようにしておきたいが、「伊藤レポート」は、全体を通して、非常に有意義な提案をしている。

ROEの向上にしても、「中長期的なROEの改善」を目指して、企業側・投資家側が行動すべきだとしており、「短期志向」の考えを否定し、この克服を課題と述べている。この点に、伊藤教授の良心と学者としてのプライドを見ることが出来る。

にもかかわらず、上場企業にしても投資家にしても、そういった「もっともな」部分には、ほとんど触れない。ROEの目標値が8%であることや、その向上のために投資家と会話する、という部分だけがクローズアップされているのだ。

逆に、短期的にROEを上げる施策こそが、投資家との会話に必要かのように思われている。

そして、ROE偏重の世界が、日本に及ぼす悪影響は、企業経営上のリスクだけではない。

社会全体への影響もある。では、ROE向上を過度に進めようとすれば、社会的にどのような弊害が生じるのか、さらに説明していこう。

③ROE重視の政策は、経済構造の違いを無視している

前述のように、現代の日本の証券市場で、もっとも注目されている指標はROEだと言っても過言ではない。これは、取引所始め、様々な方面からの宣伝の成果だ。新株式インデックスJPX400、議決権行使助言会社ISS、いずれもROEを重視している。これらに加え、「伊藤レポート」が重要な役割を果たした。

いまや「ROEと資本コスト」は、証券市場の合言葉となっている。

そのROEが決して日本の企業文化と相いれるものではないことを、前項で説明したが、このROEを高めるために、数年前から「自社株買い」が盛んに行われるようになった。

この「自社株買い」は、日本企業や日本の経済に対して、良くない影響を与えている、と私は考えている。これを理解してもらうため、まず、ROEについて、その算定式から説明していこう。

ROEは、当期純利益を自己資本で割って算定する。多くの場合は、自己資本は期首と期末

を平均して算定する。

ＲＯＥ＝当期純利益／［（期首自己資本＋期末自己資本）÷２］

このＲＯＥという数値は、算式からわかるように、当期利益が大きくなるか、自己資本が少なくなれば、上昇する。

つまり、増益にならなくても、自己資本を減らすことで、ＲＯＥを上げることはできるのだ。ＲＯＥが、自己資本から利益を上げる効率性を意味しているので、そういったことが起こる。

そこで、株式市場では、ここ10年以上、「自社株買い」が積極的に行われてきた。自社のキャッシュで、自社株を買って消却してしまえば、ＲＯＥ算定時の分母になっている自己資本が下がるので、ＲＯＥは上がることになる。

もちろん、当期利益の額がそれ以上に下がらないことが条件だが、自社株買いをすれば、ＥＰＳ（一株当たり利益）やＢＰＳ（一株当たり純資産）といった指標も向上する。

株式市場では、自社株買いを発表する銘柄の株価は軒並み上昇し、企業は株価上昇の手段として、これを活用するようになった。

ここ十数年、キャッシュリッチな企業は、そのキャッシュを「事業に回して利益を出すか、自社株買いに回すか」で悩んできた。

不透明な為替環境や景気の状況などを勘案すると、リスクをとって事業に回すよりも、自社株買いをしたほうが、確実にROEは上がり、株価もすぐに上がる。それによって、投資家からの評価も上がる。

この情勢の中で、経営者が、自社株買いを選択するのは無理もないことだろう。しかし、そういった安易な自社株買いの選択は、企業の事業意欲やリスクテイクのノウハウをどんどん減退させていく。多くの事業家は、中期的な事業戦略のことなど考えず、自社株買いをいつ発表して、投資家に喜んでもらうか、に頭を使っているのだ。

こういった傾向は、実は、さらに大きな弊害を生むことになる。それは、自社株買いの増加が、日本の景気がなかなか浮揚しない要因にもなる、ということだ。何兆円もの企業の手元資金が、設備投資などに回らず、ただ株の売買に回されるだけだからだ。

自社株買いに使われた企業の資金は、2013年度は1・3兆円、2014年度には3兆4000億円、2015年度には5兆円以上、その後2年ほどは4兆円程度だったが、2018年度には再び急増し7兆円近くになっている。その数値は、GDPの1%を上回る規模だ。

本来、企業の成長戦略の為の投資や、役職員への給与・インセンティブに回す資金を、自社株買いの資金として株式市場に投入してしまえば、日本全体として、それに応じたGDPを無駄にすることになる。

つまり、ＲＯＥを短期的に向上させるインセンティブは、日本経済の景気浮揚機能を奪い、景気全体へのマイナス要因となり、国全体の成長率を押し下げるのだ。

２０１３年以降、設備投資額も増加してきたことも事実だ。しかし、この設備投資は中身が問題だろう。短期的に利益にすぐに結びつくような設備投資すなわち、ＲＯＥにすぐ反映できるような投資は増加したが、中期的な投資成長戦略に基づいた先行投資がどれだけあるかは疑問だ。設備投資額が増加した年でもＧＤＰが伸びないのは、設備投資のＧＤＰに対する乗数効果、つまり、波及度が少ない投資しか行われていないことを意味している。

このことが、ここ数年間で構造的に日本経済が浮上しない仕組みを作ってしまった大きな要因となっている。

一方、自社株買いが株式市場を活性化させることで、景気に寄与している、という意見もあるだろう。そこにある程度の真理はあるように見える。しかし、米国と違い、株価が上がったからといって、それによる信用創造がされるような機能は、今の日本にはほとんど存在しない。そして、株価上昇と個人消費がそれほど連動しないのが、日本経済の特徴だ。したがって、株価上昇による景気浮揚効果は、米国ほど明確ではない。

米国においては、個人は、貯蓄と投資をそれほど区別していない。サラリーマンは給与天引きで株式や投資信託を自動的に買い、それが資産になるからだ。米国の個人金融資産における株式の割合は約35％、投資信託が12％、年金積立金が30％だが、日本人は、株式と投資信託を合わせても14％程度とされている。つまり、米国においては、株価が上がれば個人資産は増加し、その増加が素直に消費につながりやすい経済構造が、そこにある。このような社会では、企業が自社株買いを行って株価が上昇すれば、それが消費を刺激しやすい。米国においては、個人消費の変動率が大きく、その情勢は、ＧＤＰ成長率を大きく左右する。

こういった経済構造だからこそ、企業が設備投資を縮小し、自社株買いに資金を回した場合においても、個人消費の増加率が、企業の設備投資の減少率をカバーし、結果としてＧＤＰは伸びやすい。

一方、日本の経済では、個人はそれほど株式投資をしておらず、していたとしても、株価の上昇が消費を刺激する、という関係性は米国に比べ、希薄だ。日本では、個人消費の変動率自体が大きくはない。そのような個人消費の上昇率よりも、企業の設備投資の伸び率のほうが、ＧＤＰに大きく寄与しているのが、日本経済の姿だ。

配当にも同じことが言える。自社株買いと同様、ＲＯＥの上昇と株主還元のために、企業が投資家に支払う配当の額は、増え続けている。そして、そのことが、同じように設備投資額を抑え、結果として日本のＧＤＰの伸びを抑えている。

次の表は、配当総額と設備投資、消費の関係だ。２００８年度、２００９年度では、リーマンショックの影響で、配当総額は減少したが、設備投資額の減少率はそれ以下だった。またその後、２０１２年度までは、両者はそれほど変わらない伸び率だったが、アベノミクスが始まった２０１３年度以降、両者の伸び率には大きな差が生じ始めた。２０１６年度には、設備投資額はマイナス成長であったにもかかわらず、配当総額は10％以上の伸びを示した。

日本のように、個人消費にはそれほど大きな変化が無く、設備投資額の変化がＧＤＰに大きな変化を与える構造の社会で、企業が設備投資を控え、自社株買いや配当に資金を回せば、どうなるか。個人消費がそれほど伸びることはなく、設備投資は減少し、結果として、ＧＤＰ成長率は下がることになる。

ＲＯＥを重視する、という国策は、確かに株価を上げる効果はある。しかし、景気（ＧＤＰ成長率）の健全な成長には悪影響を及ぼす恐れがある。株価は、景気の先行指標

設備投資、配当総額、消費の各伸び率推移

	設備投資伸率	配当総額伸率	消費伸率
2008年度	-6.0%	-14.5%	-2.1%
2009年度	-11.8%	-19.8%	0.8%
2010年度	2.0%	14.5%	1.4%
2011年度	4.3%	5.5%	0.5%
2012年度	2.4%	4.1%	1.4%
2013年度	7.0%	19.7%	2.8%
2014年度	3.4%	11.5%	-2.5%
2015年度	1.6%	9.0%	0.5%
2016年度	-0.5%	10.3%	-0.1%
2017年度	4.6%	14.5%	1.1%

の一つではあるが、景気そのものの構成要素ではないのだ。そのことを、多くの人はよくわかっていない。

ここが、日米の経済構造の違いであり、それを無視して、米国と同じようにROEを重視する、という施策を掲げることが、国家戦略としていかに危険な事であるか、を、私たちは考える必要がある。

もう一つ、ROE重視の弊害を挙げれば、それが企業に機会損失リスクを背負わせる、という一面についてだろう。

企業はいまや、資金をただキャッシュにして置いておくだけでも、無駄だと思われ、投資家に批判される。投資家は、ROEを盾に、自社株買いや増配などの実行を堂々と要求してくるのだ。

「資金を置いておくだけなら自社株買いを実行しろ。あるいは自分たちに配当を回せ」

と言ってくる。

しかし、良い買収話や、事業の相談は、キャッシュに余裕がある企業に優先的に持っていかれることが多い。証券会社のM&A部門や、コンサルティング会社は、そのようなデータの見方をしがちだ。M&A案件を持ち込むならば、資金をこれから調達するようなところでは時間がかかるし、調達の行動によって、そのM&A情報が漏れる可能性もある。

また、就職の前線において、優秀な人材は、従業員給与などの販売管理費を詰めて、ROEを伸ばしている企業に入社するだろうか？

恐らくそうではないだろう。逆に、給与が高く、やりたいことができるような企業を好んで然るべきだ。

ROEが高い企業を優良企業だとして入社すると、そうともいえないケースは多いだろう。実はROE目標に縛られ、給与を上がりにくくしているケースなども、理論的にはあり得る。給与が高ければ、それだけROEは低くなる。2019年年末の日経新聞の調査では、大企業の働き方改革によって、削減された残業代を、なにも職員に還元していない、と回答した企業が、50％を超えたという。

また、財務活動の面で、ROE重視の傾向は、企業が「見せかけ」によるROEの向上に精を出す、という不健康な状況を作り出している。

ROEを高めるために自社株買いをしたいが、その資金が無いために、資金を外部から借りる、ということが、堂々と行われているのだ。こうなると、もうすでにROEの向上はゲームでしかないようにさえ見える。

例えば、いくつかの企業は、自社株買をするために、転換社債で資金調達をした。リキャップＣＢというのがそれだ。

ＣＢ（転換社債）を発行し、その資金で自社株を買えば、負債（ＣＢ）が増え、発行済株式数が減る。このことによって、ＥＰＳなどの一株当たり指標は上昇し、ＲＯＥも上がる。また、負債・資本比率が下がることで、資本コスト（ＷＡＣＣ）も下がり、理論株価は上がる。

２００８年にヤマダ電機、ＪＦＥ、アサヒビールがこの手を使ってＲＯＥを上げて以来、数社が実施している。調達した資金の半分程度を自社株買いに回す会社もあれば、全額をそれに充てる、という会社もある。

しかし、考えてみると、このような行動は、「無駄」ではないのだろうか？

ＣＢや社債を発行して、株式を消却する、というのは企業にとって、単なる管理部門だけで行う小手先の資本構成の変化にすぎない。そこまでしてＲＯＥを上げることに意味があるのだろうか？


数字を見ると、日本企業の自社株買いの金額は、２００５年から２００８年が第一次のピークだ。この間、自社株買いの年間金額は4兆円近く（東証1部2部合計）が続いている。しかし、２００９年からは自社株買い金額は急減し、２０１０年から少しずつ盛り返し、１・５兆円程度であったが、２０１３年以降、再び急増し、その後２０１５年には、５兆円を超えてきた。

アベノミクス以降、ROEの目標を発表した企業はかなりのペースで増加した。2015年には、アンチROEの先鋒とも言われていた三菱重工が、ついに、2018年3月期にROE10％という目標を掲げる。

彼らは、すぐには納得できなかったが、嫌々ながら、今になってその目標を決めているのだ。これこそが、外資系を始めとする投資家との対話（スチュワードシップ・コード）などの成果だろう。

つまりは、投資家・株主による「脅し」以外に、こうなった原因は考えられない。いまさら三菱重工が、ROEという指標の重要性を理解した、などという訳が無いのだ。

結論をいえば、ROEを、重視する指標の一つとするのは良いとしても、それに固執しすぎるのは、間違いだ。

また、企業側は、ROEを短期志向ではなく、中長期的な向上策を提示して海外投資家を説得すべきだ。「ROEの重視」と「四半期開示」を組み合わせれば、短期的なROE向上が、上場企業の使命のように感じてしまう経営者は多いだろう。しかし、それは誤解にしか過ぎない。

前述したように、日本的な経営環境を踏まえて考える時、「短期的なROE至上主義」が、企業価値の向上にマイナスに働く、という可能性を考えなくてはならない。自社株買いを、成長に必要な投資や、その準備よりも優先することだけはやめるべきだ。そして、万一のときへの備えを用意しておくことも、企業経営には欠かせない要素だ。

経営者は、今後の事業環境で、どのような投資チャンスが考えられるのか、そのチャンスのためにどのような事前準備を進めているのか、そのチャンスは何時ごろくる可能性が高いのか、そういった戦略を、中期経営計画などの中で説明を継続して行う必要がある。

次に、投資家側に焦点を当てて考えてみたい。

欧米の投資家（特に米国）にとっては、国際的な投資基準を一律に近づけることで、グローバルな投資が行いやすくなる。その基準がＲＯＥだ。

また、世界中の企業に対して等しく、買収の機会を保有しておくことも大事な戦略だろう。このようなルールの統一は、投資のバリュエーション算定などを容易にさせ、ファンドのグローバル戦略の基本となる。

しかしこれは、私に言わせれば、投資家の怠慢にしかすぎない。それぞれの国の経済環境の違いなどを考慮する調整モデルなどの開発を考えず、一方的に国際的投資の便宜性のために、逆に、企業側にＲＯＥというグローバルスタンダードな指標を重視させる、ということだからだ。

投資家による評価システムの為に、企業経営のあり方を決めつけるのは、本当に正しいことなのだろうか。

果たして、世界経済を担うのは、企業なのか、投資家なのか……。

これほどまでに投資家優位の世界を構築しようとすることへの危険性を、政治家は考えないのだろうか。

また、私にはもう一つ疑問がある。私が監修した『ウォール街があなたに知られたくないこと』にあるように、実は、アクティブ型のファンドの運用成績は、パッシブ型のそれに、統計的に勝っていないのだ。

アクティブ型とは、ファンドマネージャーが積極的に売買し、銘柄を選択していくファンドのこと。パッシブ型とは、銘柄選択や売買をあまり行わず、基本的には、TOPIXや日経平均株価に連動するように設計されたファンドのことだ。

つまり、ファンドマネージャーがあれこれ銘柄を選んで、売買するよりも、日経平均採用の225銘柄を買ってそのままにしておいたほうが、運用成績が良い、ということだ。

この事実は、ファンドマネージャーやらアナリストやらの存在意義そのものを否定するので、驚きの事実ではある。

しかし、この事実は、一つの疑念を私たちに持たせる。

それは、彼らが重視するROEという指標についても、実は投資効果がない、あるいはいずれなくなるのではないか、という疑問だ。

ROEという指標は昔から海外投資家が重視してきた指標であり、過去、彼らがROEを重視して運用してきたといっても、所詮その結果、日経平均のETFを買っておいたほうが良かった、というオチなのだ。

そのことがまた繰り返される可能性は十分に高い。

単にテクニカル的にROE向上を見せかける企業の横行や、それへの称賛はいずれ終わるだろう。また、あらゆる投資家が高ROE企業ばかり買えば、当然、それらの銘柄は割高になり、パフォーマンスは上がらなくなる。

つまり、いつか投資家側から、

「ROEは投資の有効性が乏しい。代わりに、これに替えます」

と言い始めても何の不思議もない、ということだ。

現在のような過度のROE偏重は、企業や日本経済、そして投資家にとっても危険な状況であると言わざるを得ない。

④「株主還元」は規制されなければならない

２０１４年、機械メーカーのアマダは、２０１６年3月期までの純利益を、すべて株主還元に充てることを発表した（アマダショック。ただし、２０１７年3月期以降、同社は株主還元性向を50％に下方修正）。また、２０１４年度まで、株主還元に消極的だったファナックも、２０１５年４月、配当性向を60％、総還元性向で80％を目指すことを発表し、市場を驚かせた。

これらの事例のように、現代の資本市場では、「株主還元」が正義の合言葉になってしまった。しかしこれもまた、実のところ、仕込まれたルールマネジメントの一つだ。「株主還元」というルールは、ここ数年で広まり、いまや日本を制覇し、ＲＭ戦争のツールとして十分に有効性を発揮している。しかし、これが「行き過ぎている」ことに、多くの経済学者や政策担当者は、すでに気が付いているはずだ。

米国では、２０１９年、利益を大きく上回る自社株買いや配当を行ったせいで、フィリップモリス、ボーイング、マクドナルド、スターバックスなど、米国を代表する企業群が、なんと債務超過に陥っている。これらの企業は、自社株買いや配当の原資を借入で賄っているわけだが、米国では、債務超過になったとしても、営業キャッシュフローが黒字であれば、銀行は回収を急がない傾向がある。しかし、本業に異変が起きた場合や金利が急上昇するような場合、あるいは別の要因で、リーマンショック時のように金融機関がリスクを取らなくなった場合、このシステムは脆弱であることを忘れてはいけない。

しかも、日本の立場で言えば、過度な株主還元は、経済主体間における富の大規模な移動（企業から投資家へ）であり、言い換えれば、日本（日本企業）から米国（米国機関投資家）への富の流出に他ならない。株主還元という仕組みは、投資資本を多く持つ国にとってのみ国力を増強させる仕組みであり、逆に、有力な企業はあるが、投資事業が有力とは言えない国、にとっては、都合が良くないシステムなのだ。誤解を恐れずに言えば、株主還元は、米国による日本からの「集金システム」となっている。まさにこれが、米国と日本の関係だ。ＲＭ戦略的に考えるなら、米国は、日本との比較優位を持つのが「投資力」であるという判断の下、「株主還元」を日本企業に求めているのではないだろうか。

企業は「株主のもの」なのだから、株主に利益を還元するのは当たり前、という単純な定義は、一見、正しいことに聞こえるが、実は矛盾を孕んでいる。

まさに、「悪魔はいつも真っ当なモノの形をしている」のだ。

株主還元とは、具体的に言えば、配当と自社株買いのことを指すと考えて良いだろう。今の資本のルールでは、企業は、株主の手前、自社が株主還元、つまり配当と自社株買いに積極的である、ということを、いつもアピールしなければならない。

配当を、どのくらい重視しているか、という経営指標には２種類のものがある。

一つは、配当性向。これは、配当金額を当期純利益で割って求める数値で、要するに、純利益のうち、何％を配当に回しているか、という指標。日本でも多くの企業が、この配当性向の目標を定め、配当を行っている。およそ、30％程度以上が、配当性向の一般的な目標数値となっているようだ。

もう一つは、純資産配当率（ＤＯＥ）という指標だ。こちらは、純資産に比べ、どれだけの率を配当に回すか、という数値だ。この指標を目標とする企業はおよそ２％程度の数値を目標として掲げることが多い。

ＤＯＥは、配当性向を目標にするよりも配当金額が安定する、という特徴があるので、安定配当を目指す企業は、こちらを指標として採用しやすい。配当性向を重視するなら赤字だと配当しないことになるが、ＤＯＥを重視する企業なら、赤字でも配当を堂々と出すことが出来る。

一方で、自社株買いもまた、重要な株主還元の仕組みだ。単に、市場から自社の株式を買う、というだけの行為だが、これが発表された銘柄は、株価が上昇しやすい。

自社株買いは、発行済み株式数を減らすことで、一株当たり利益を増やす効果がある。また、当期利益が変わらないのであれば、配当性向を公約している場合は、一株当たりの配当額が増えることになる。

この、配当金と自社株買いの合計額を当期利益で割ったモノを「総還元性向」と呼んでいる。

近年は、「株主還元を積極的に行うこと」と「ROEを高く保持すること」が、企業経営の正しい在り方である、という説明が声高に言われている。

しかし、繰り返すが、このことは、決して無条件に受け入れられるべきことではない。

前項で説明したように、企業に「資金が余っている」場合、この資金を自社株買いに回せば、自己資本が減ることでROEは向上する。また、この資金を配当へ回せば、配当性向が上がり、ROE向上にも資することにもなる。従って、物言う株主は、現金を保有する企業に、増配や自社株買いを迫る、というケースは多く、経営者が安易に自社株買いを行うケースもまた、増えている。

しかし、私がここで書きたい結論は、ROE向上の為の財務行動の一部は、「規制」されるべきだ、ということだ。

それも、できるだけ早期に、この手をうつ必要がある。

そうでなければ、本当の株式市場の在り方を、私たちは取り戻すことが出来ないだろう。

日本の優秀な企業が、株主還元に固執し、中長期的な投資や研究に及び腰になったままであれば、日本の基礎的研究はさらに遅れ、IT分野でのこの大きな後れを取り戻すことは、永久にできなくなるだろう。

そのことは、米国だけでなく、中国に対する大きな後れを容認することに他ならない。

これから世界は、ＩＴや環境が、社会をリードしていくだろう。しかし、米国で生まれたＩＴの巨人ＧＡＦＡ（グーグル、アマゾン、フェイスブック、アップル）や中国のＢＡＴＨ（バイドゥ、アリババ、テンセント、ファーウェイ）が、ＩＴ分野では、圧倒的な勝者となり、日本の企業は全くここに入ることは出来ていない。環境分野でも同じだ。日本企業は、ひと頃のように世界に冠たる技術を披露していた時代は終わったと言って良いだろう。

なぜ、こうなったのか。

なぜ企業は研究開発に遅れを取り、人材の育成が出来ず、優秀な人を採用すらできないのか。

その答えの一つが、このＲＯＥ至上主義を作った、米国の戦略にある。

もちろん、米国でも、ＲＯＥは日本以上に重視されており、自社株買いも桁違いの額で行われている。しかし、基礎技術を研究するベンチャー企業や、新しいサービスを開拓するＩＴ企業などは、実は全くそうではないのだ。一方、日本では、大企業もベンチャー企業もＲＯＥや株主還元に縛られている。猫も杓子も同じような財務戦略を実行することで、逆にその本来の主旨を忘れてしまっているのだ。

冷静になって考えれば、何をもって「資金が余っている」と考えるか、はとんでもなく難しい問題だ。

中期的な企業戦略を立て、必要な人材投資・昇給や、設備投資・危機管理を十分に検討せずに「資金が余っている」と考えるのは、企業経営者として失格であるだけでなく、短期的な収益目的の投資家と癒着し、企業の資金を不適切に運用したと言われるべきだろう。

本来、従業員や成長投資や基礎研究に使うべき資金、あるいは環境対策などに使うべき資金を、ただ株主に回し、株主はその見返りに株主総会でその経営者を信任するのだから。

私は、自社株買いや配当などについて、一定の規制をする制度を設けるべきだと考えている。企業の性格、つまり、まだまだ成長投資や研究投資をすることが使命である企業は、株主還元などをしている暇はないはずだ。日本では、創薬ベンチャーだけが、特別扱いをされているが、もっとその枠を広げるべきなのだ。


ここで確認しておきたいことは、経営者の仕事は、一義的には企業の業績を伸ばし、成長性を高めることにある。そして本来、そのことこそが、本当の意味での株主への利益還元である、ということだ。

自社株を買うことが株主還元と言われるのは、そもそも用語としても間違っている。経営者は、適切な投資を行い、将来のキャッシュフローを高め、企業価値を向上させることが役目であり、大して余力も無いのに、無理をして配当を払うことが、本来の株主に対する役目では無いのだ。

自社株買い、あるいは配当を増やすのは、本当に事業投資すべき対象が無い、と明らかに判断できるときに、しかも一定の額に限る、というのが、企業本来の在り方だろう。もちろん、いまでも自社株買いが出来る金額は、配当可能利益と同じように、剰余金の範囲内に限られている。しかし、それだけの規制では不十分だ。業績を向上させること、中期的な成長率を高めること、によって企業価値を高めることが、本来経営者が投資家に対する「還元」のはずだ。しかし、それがどうしてもリスクが高く、散々検討したがどうしても思いつかない、という場合にだけ、特殊な手法として認められる、とするべきだろう。そもそも、そのようなことを思いつかない経営者が、なぜ社長としてそこにいるのか、その理由が私には分からない。

そして、いまは、それほど検討もせずに、いとも簡単に資金を自社株買いに回す。

つまり、現在の市場では、投資家は短期的な自らの利益にのみ固執し、企業・経営者側は中期的な成長性の向上を企画せず、投資対象を考え抜く、ということをしない。あるいは、経営者が自らの保身のために、中期的な経営の信念ではなく、投資家に日和って配当や自社株買いに過大な資金を回している、というのが、現実だろう。

「投資家保護」を前面に出す東証などは、短絡的な考え方で、そこを規制することはしない。それどころか、日本取引所グループも自ら、借入をしてまで自社株買いをする始末だ。

東証や管轄官庁は、「投資家保護」という観点に立つことから、投資家にとって都合の良いルールには乗りやすい、という一面がある。しかし、これこそ矛盾に富んだ施策だ。

東証は、誤解を恐れずいえば、「投機家」を市場から排斥し、中長期の投資家を大切にする、というスタンスだ。しかし、株主還元や短期的な経営指標を重視する機関投資家こそが、短期的な「投機家」であって、これを保護することは、基本的なスタンスから外れているのではないだろうか。

もっといえば、中期的な投資を検討させず、短期的な株主還元に資金を回すように圧力をかける機関投資家は、相場操縦で売買を繰り返す反市場勢力と、大差ないだろう。あるいは、企業の中期的な成長を阻害する行為は、他の株主の権利を侵害していると言えるかもしれない。

短期的な投資家は、確かに株主還元を喜ぶだろう。株価はそれですぐに上昇するからだ。しかし、中期的な視点で見れば、決してそれは企業にとって得策とは言えないかもしれない。資金を株主還元に使っているうちに、同業他社に良い投資対象先を取られ、研究開発に遅れ、いずれ激しい競合に負けていく、というリスクは相当にあるだろう。さらに踏み込んで言えば、企業は従業員に対して不当に安い給与しか払っていないかもしれない。給与を出し渋り、それを利益に回して自社株を買えば、それだけ経営陣は株主や投資家に褒められるだろう。また、地域住民に対して必要な騒音や環境対策をしていないかもしれない。つまり、他のステークホルダーへの必要なコストを削減し、株主還元に資金を回しているかもしれないのだ。

企業は、もし今、短期的な株主還元以外に資金の使い道がないのであれば、「十分にその使い道について検討した」というその検討内容を投資家や世の中に開示し、さらに、どのような状況になったら投資対象が見つかるのか、を説明すべきだ。

上場企業という「社会の公器」は、投資家だけではなく、取引先や地域、従業員など、すべてのステークホルダーに対して、その方針を説明すべきであり、機関投資家と経営者だけの「かけひき」だけで、巨大な資金の使途を定めるべきではないのではないだろうか。

情報開示の手法も、東証への「適時開示サービス」にのみ義務付けるのは、片手落ちだ。すべてのステークホルダーが等しく目にする媒体に、わかりやすい情報を公表すべきだろう。単に自社のHP上で「自社株買いを決議した」と発表しても、その背景は何もわからない。誰も批判する人はおらず、短期的な株価上昇を称賛されるだけだ。しかし、それは本当に称賛されるような決議なのだろうか。証券関係者しかみていない場では、批判されないだろうが、その意味するところを、他のステークホルダーが理解した時、どうだろうか。

過去、日本の多くの企業は、これまでの「良き日本の社会」で「三方よし」という精神に則って、各ステークホルダーに気を遣ってきたが、米国風の株主還元によって、他のステークホルダーに対する重要性の認識を捨ててしまったのではないだろうか。

ＣＳＲや社会貢献への評価が、近時盛んに言われるようになったが、それだけでは十分ではない。株主還元に回している資金が適切なのかどうか、を規制し、それを含めてＣＳＲ上の検証をなくしては、本当のＣＳＲを進める社会は実現しないだろう。

株主還元の議論や、ＲＯＥの議論には、他のステークホルダーへの視点が抜けやすい、ということ、さらにこれを規制すべきだ、ということを、ここでは指摘しておきたい。要するに、米国発のこういったルールは、すべて「株主の為の企業」という価値観に偏重している。

10年後に、

「２０００年代序盤は、行き過ぎた投資家第一主義が広まり、日本や欧州の経済を弱体化させた」

と経済の教科書に載らないように、私たちは留意しなくてはならない。

4章　日本の証券金融業界の惨状

①経済学後進国、日本

毎年10月になるとノーベル賞受賞が話題になる。

日本では、１９４９年の湯川秀樹博士以来、25人ものノーベル賞受賞者が生まれている。

そしてその多くは、物理学、化学賞だ。

しかし、１９６８年に新たに設けられた、ノーベル経済学賞については、日本人は一人も選出されず、候補者すら少ないのが現状だ。資本主義の故郷が英国であり、それを発展させた本場が米国だから、経済学賞に縁がないのは仕方ないことだろうか。

確かに同賞には、米国人が圧倒的に多く、市場主義の学者に対象が少し偏っている、という批判もあるが、日本では、経済学、金融学の基礎理論の研究が進んでいない、あるいは画期的な理論を醸成する環境がない、という現実に変わりは無いだろう。

しかし、この現状に対して、証券業界などから全く危機感は感じられない。なぜか、日本の証券金融業界には、「資本主義の不思議」に対して謎を解こうという熱意が少ないように思う。

米国にいる友人などは、資本主義社会の様々な現象や政策の有効性について、本当に目を輝かせて語ろうとするが、この違いは、教育システムにその原因があるのかもしれない。日本では、一部、行政の人たちにそういった方々がいると聞くが、そういった人の数をぜひ増やしてほしい。

いずれにしても、こういった危機感の薄さが、日本をRM戦争の犠牲者としている一因ではないだろうか。

そして、日本ではアナリストの立場が低い。

彼らは、その人員不足などにより、カバーする企業が多すぎ、アナリストというよりも単なるレポート屋になっている、という状況がある。

アナリストは、多くの場合、試験を通った後は、先輩について実務を学ぶわけだが、日本の証券会社の収益第一主義の中では、基礎研究に身を費やしている時間は無い。取材、レポート執筆、プレゼン、を止めどなく繰り返す毎日だ。そして、個々の企業業績予想とバリュエーションについては、学ぶ機会が多いものの、市場全体を見る目、ストラティジスト的な仕事は極端に少ないと言える。これでは、経済政策やマクロ経済に対する認識が進まないのも道理だろう。

しかも、日本のアナリストの給料は少ない。

よほど影響力を持つ存在にならないと、他の営業業種のほうが、給料が良い場合も多い。私の知っているアナリストたちは結局のところ、それに疲れ、ほとんどが会社を退職し、外資系へ移るか、上場企業へ行くか、独立してコンサルティングをするか、辞めて、ただ自己資金で運用をするか、の選択をしている。

そうした環境の中では、世界で通用するようなアナリストや、経済学者は育ちにくい。このことは、ただノーベル賞が取れない、などというレベルの話ではなく、国益を左右する。欧米のＲＭ戦略に対して立ち向かえる人材を、我が国は育てないといけない。政策当局にはもちろん、民間企業や取引所にも、だ。

また、私たちは、どれだけ学んでも、そのテキスト自体がそもそも欧米の理論であり、その前提条件は、日本の企業事情、経済・金融事情に合致しているわけではない。

正直な話、私も証券アナリストの試験勉強をしていたころは、愕然としたものだ。証券営業の現場で相場と戦ってきた経験から言えば、例えば、ポートフォリオ理論の理論的整合性には、目の鱗が取れる気がした一方で、証券分析で学ぶＣＡＰＭなどの理論には、「現実離れ」と、いくらなんでも無理な定型化理論であることを感じざるを得ない。

また、経済学は古典的だ。

私も、証券会社でアナリスト試験対策の講義を行う者としての反省を込めて言えば、これらの中身を、疑問を頭の隅に閉じ込めて、合格だけのために勉強することは、資格試験対策としては構わないが、どこかでその疑問を再度脳内に戻して、解決してみせよう、という気概が、アナリストや研究者にはほしいものだ。

特に、欧米の市場原理を元にした研究は、各国の市場の独自性を排除して行われている。日本の研究者は、こういったことにこそ目を向け、日本の企業社会を欧米化から守る責務があるのではないだろうか。

② 迷走する企業の資金調達

ここまで、本書では、日本の証券業界や株式市場のルールにおいて、日本は常に欧米からのルールの「押しつけ」にさらされ、それを受け入れ、あるいはアレンジしてきた、と書いてきた。しかし、そのような状況下で、日本で特によく行われるようになった資金調達手法もある。

特に、日本の証券業界が最も普及させたのは、「ＭＳＣＢ」（転換社債型新株引受権）、または「ＭＳワラント」（新株予約権）というものだ。この原型となったのは、米国の第三者割当増資の仕組み「PIPEs」で多く利用されるスキームで、評判と既存株主さえ気にしなければ、企業とＭＳＣＢの買い手にとっては、優れたスキームだ。

2003年、野村證券が、いすゞ自動車に対して初めて発行引受を行ったことで、広がり始めた。

簡単に言えば、MSCBの受け手は、常にその時の時価よりも安い価格（例えば、毎月の終値の○％下の価格で株式に変えることができる、など）で、その株を買うことができ、すぐに売ることができる。

例えば、10億円のMSCBを引き受けた投資家は、企業に10億円を債権として払い込む。そして、常に時価よりも少し安い価格で、それを株式に転換して売却することができる。MSとは、ムービングストライク、すなわち、行使価格（転換価格）が株価に合わせて動く、という意味だ。

もちろん、いくつか条件はあるが、概ね、そういったスキームで、引き受け手は、まず損をすることはない。

このスキームにおいては、引受の可否について投資家が判断する材料は、出来高くらいなものだ。

しかし、既存の株主にとっては迷惑な話だ。常に時価よりも安い価格で株を調達して売る投資家がいる、ということは、常に株価には下落圧力がかかっている、ということなのだ。

また、MSCBの場合は、投資家は最初に債券として発行額の全額を払い込む必要があるが、

ＭＳ型の新株予約権だけ（ＭＳワラント）であれば、儲けるのはもっと簡単だ。

なぜなら、ＭＳワラントの場合は、初めの資金がいらないからだ。出来高さえあり、売却することに支障がなければ、投資家は、損はしない上に、資金が出来たときに、すきなだけ行使して（資金を払い込み、株を引き受ける権利を行使する）売却するだけなのだ。

そして、その儲けた資金をまた行使して売却する。これを繰り返せば、投資家は、少ない資金で、その何倍ものＭＳワラントの発行を受けることが出来る。

例えば、５億円のＭＳワラントを引き受けたとしても、投資家は、５億円まるまる用意する必要などない。５０００万円ほど資金を用意し、まずそれだけ分の株式を行使して、売却する。すると、手元にまた５０００万円＋αの資金が入る。それでまた５０００万円分を行使して、売却する。その資金でまた行使する、ということを繰り返せば、10回の行使で、５億円分のＭＳワラントをすべて消化することができる。

行使価格を時価よりも５％下に設定しておけば、計算上では５０００万円の元手で、合計２５００万円の利益が得られることになる。

空売りができる銘柄であれば、空売りしてから行使して、現渡しをすれば、もっと簡単だ。

実際、ほとんどのＭＳワラントは、そのように運用されてきた。

企業にとっても、どんなに株価が下落しても行使されさえすれば会社に資金が入ってくるので、こんな便利なことはない。ただ、損をするのは既存の株主だけだ。投資家の声があまり大きくなかった日本では、この手法は、流行った。

そして、ついに2005年、ライブドアがそのスキームを利用し、800億円を調達し、ニッポン放送の買収を行うことになる。MSCBの仕組みによって、ライブドアが大量の資金を準備できたわけだ。しかし、2006年1月にはライブドアに強制捜査が入り、2007年にはMSCBに対する規制が行われ、MSCB、MSワラント＝邪道である、という認識がやっと広がり始める。

このような経緯を経て、大手企業や大手証券会社は、このスキームを扱いづらくなった。

しかし、業績が芳しくない中小上場企業は、なかなか増資の引き受け手がいないが、MSCB、MSワラントなら、受け手は山のようにいる。特に、債務超過の連続などが上場廃止要件になってからは、危ない企業が、MSCB、MSワラントの発行で窮地をしのぐ、ということが頻繁に行われるようになった。そして、企業業績や信用力、コンプライアンスに全く頓着しない「怪しい投資家」が、数多くこうしたものを引き受け、結果として、一時は多くの反社会勢力が多大な利益を上げたと推測される。もちろん、MSCB、MSワラントの引き受け手のほとんどは通常の投資家であり、発行会社もそれら資金の性格を調査する。しかし、「安易に儲かるスキーム」が広まったことで、投資の専門家ではない、「望まれない投資家」たちがこの市場に利益を求め参入してきたことは、否定できないだろう。

このように、危ない投資家と危ない企業にとっては、一致したニーズがあり、そういう意味では、ＭＳＣＢは、便利な発明ともいえる。しかし、既存株主の権利は侵害される。

前述したように、株価が常に売り圧力にさらされ、上がりづらくなるからだ。

一定の条件（行使価格に下限を設定するなど）はあるとしても、常にその時の株価よりも安く買える投資家が他にいる、ということは、既存株主にとっては大変なハンディとなる。

私も、上場企業でＩＲ担当役員をしていた時、当時よく聞かれたのが「ＭＳＣＢは出さないのか」という質問だった。

私は、そんなときは「自分の目が黒いうちは出しません」と断言していた。そうしないと、投資家は常に不安になるのだ。

そもそも、私はＭＳＣＢというファイナンスは、エクイティファイナンスと言えないと思っている。

投資家にリスクがほとんど無い、そんなエクイティがあるだろうか。

ここには、資本に対する何の理論的背景も哲学も成り立たない。株式市場を使ったアービトラージかもしれないが、初めからアービトラージの差額が保証されているので、アービトラージを行う知性すら必要ないのだ。

こういったMSCBが、いわゆる「有利発行」にあたり、株主総会の決議を必要とするか、独立した専門家の意見書をつけること、とされたのは、かなり後の話だ。そしてこれらの「規制」も十分なものとは言えない。

あるとき、上場企業の財務担当をしていた際に、この商品を開発した、という旧野村のチームが営業にきたが、こんな商品開発を誇りに思っていることに、こちらがびっくりしてしまった。さらに言えば、これを容易に承認した金融庁や東証は、「軽率」としか言いようがない。いつも「投資家保護」を喧伝している当局が、自ら投資家の権利を損なうようなファイナンスを認めたのだ。

このMSCBの普及も問題であったが、後ほど説明するように、従来からある第三者割当増資や公募増資、といった調達手段にも、ルールの不備から、様々な問題が噴出していた。大規模な第三者割当増資などで既存株主の権利が侵害される、という事案がいくつか出現したのだ。

そこで、当局の推奨を得て出てきたファイナンス手法がある。

それは、ライツ・オファリングだ。

このライツ・オファリングは、新しく投資家を連れてくるのではなく、既存株主に対して、安い新株を引き受ける権利を与える、というものだ。株主は、もしその新株が必要でなければ、その「権利」(新株予約権)を市場で売却することができる。

これなら、確かに既存株主の権利は侵されない。

当時問題となっていた株主間の不平等、という観点からは、一見、正しい手法のように見える。しかし、この手法にも、大きな課題があった。

このライツ・オファリングによる新株発行を行うとき、幹事を行う証券会社が、未行使分の株式について、一定の行使を自社で行う、という保証を行うものを、「コミットメント型」と呼んでいる。

ライツ・オファリングの欠点は、企業側にとって、「実際にいくら資金調達ができるかがわからない」点だが、「コミットメント型」なら、企業側は最低の調達金額を、初めから予定することができる。

しかし一方で、「コミットメント型」の場合、証券会社側は、自己で受けるその株式について、リスクを負うことになる。決議してから、予約権の行使期限まで、ライツ・オファリングの場合は期間が長いため、株価変動によって、証券会社が損をしてしまうリスクは、それだけ大きなものになるからだ。

このような背景もあり、これまでコミットメント型のライツ・オファリングは、日本ではほとんど行われていない。

欧州ではライツ・オファリングは、一般的な増資の手法ではあるが、その欧州でも、株式市場の暴落により、証券会社が大きな損失を出して問題となった経緯もあり、コミットメント型のものはなかなか行われない。

このように、資金調達の確実性に課題はあるものの、日本では、２０１０年、タカラレーベンが初のライツ・オファリングを実施し、その後、検討企業は徐々に増え、２０１３年には15社がこれを実施した。

新たな資金調達の手法として、ライツ・オファリングは普及が始まるかに思えた。取引所も、その普及に一役買い、勉強会などは頻繁に行われるようになった。

しかし、そう話は簡単ではなかったのだ。

それは、ライツ・オファリングの「気安さ」に原因があった。

既存株主だけを対象にするので、審査が厳しくない、ということから、いわゆる「危ない企業」が次々にこれを実施したのだ。「危ない企業」では、公募増資は引き受けてくれる証券会社がなく、第三者割当増資を受ける投資家はいない、ＭＳＣＢをやりたいが、取引所が厳しい目で見るのでなかなか通らない（取引所は審査権があるわけではないが、開示書類のチェック書類の内容を満たしていないことを盾に実質的に審査をする）という状況にあり、そういう連中が、喜び勇んで、ライツ・オファリングの検討をしたのだ。もちろん、審査が厳しくない、といっても、取り扱う証券会社は、判断をしなくてはならないが、彼らは、そこは費用対効果、つまり手数料で儲かるかどうか、だけを主に考える。

また悪いことに、取引所は、このライツ・オファリングの普及に、非常に力を入れていた。この点、取引所は大いなる反省をしなくてはならない。

彼らは、単に既存株主を守る、という単純な理屈で、この手法を気に入っていた。確かに、ライツ・オファリングによれば、既存投資家を、他の投資家から守ることはできる。しかし、投資先である企業の安易な資金調達という暴挙からは、守るどころか、それを助長してしまったのだ。

当然、また問題が起こることになる。

2014年7月、石山ゲートウェイという会社がライツ・オファリングを実施したが、これは上場企業として様々な問題を孕んだなかでのファイナンスだった。同社には、そのたった3カ月後に、粉飾決算の疑惑で強制捜査が入り、その後社長は逮捕され、上場廃止に陥っている。

結局、取引所は、また動き、このライツ・オファリングの実施にも株主総会などの決議が必要になるよう、規制をかけることになった。

このようなMSCBやライツ・オファリングには、基本的な資本の理論・哲学が存在しない。つまり、テクニックにすぎないのだ。

投資家や企業側にリスクが少なく、いかに資金を調達するのか、というテクニックを駆使し、規制をかいくぐっている、という面では評価できる。しかし、それは本来、二の次、細部の仕事だ。

ＭＳＣＢやライツ・オファリングは、投資家にリスクが存在し、それに対して企業側がリターンを訴える、という緊張感、すなわちファイナンスの本質を完全に忘れてしまっている。

資本市場で最も重要なのは、この緊張感であり、このことを忘れて、資本市場でのファイナンスはあり得ない。

企業は投資家にどうリターンを与え、投資家はどのようにリスク評価をするか、を考え抜くことが、最も重要なことだろう。そういったコンセプトに欠けたものを、いくら普及させようとしても、それは小手先のものという以外に、表現のしようがない。

ライツ・オファリングも、既存株主だけを対象とし、新株は実際の株価よりもかなり下の価格で発行され、引き受けなくても予約権は無料で付与されるので投資家のリスクは無い、となると、これもエクイティファイナンスの「精神」とは異質なものだ。

やはり、ノーベル経済学賞をとることができない、日本の経済・金融学の現状らしい現実が、ここに垣間見ることができる。

一方で、従来から行われている第三者割当増資や、公募増資にも、問題は次々に浮上した。

2007年9月に、結婚式場運営会社のモックが、発行済み株数が、約30倍にもなる第三者割当増資の計画を発表した。

これを契機に、海外投資家からの批判が沸き起こることになる。

取締役会だけの決定で、このような、大規模な稀薄化（一株当たり利益などの大きな毀損）と、筆頭株主など経営主体そのものの変更が行われる（つまり買収だ）、というのは、制度上の欠点である、と海外の会計事務所、海外投資家からの問題提起がなされたのだ。

これに対応し、「第三者割当増資」について、大きな稀薄化から既存株主を守るため、2009年に規制がなされた。さらに、25%超の稀薄化については、2012年以降、株主総会の決議などが必要になった。

これは、米国のルールの準用だ。

このルールに関しては、それまでなかったほうが問題だろう。

既存株主の利益を守る、ということもあるが、反社会勢力による上場企業の支配を防ぐためには、ここに規制をかける必要はある。

しかし、最も正々堂々とした資金調達手段であるはずの「公募増資」も、機関投資家による価格操作的空売りと、インサイダー取引の疑惑が次々に発覚し、２０１０年、大量の検挙者が出ることとなった。

これを受け、２０１１年12月には、公募増資時に、空売りをした場合、その決済を、公募新株で行うことができなくなった。これも、米国のルール（レギュレーションM　ルール１０４）を参考にしている。

第三者割当増資では、引き受ける投資家に有利であり、既存の投資家に不利益だ。既存の投資家には引き受ける機会がないからだ。かといって、公募増資は確かにあらゆる投資家にチャンスはあるが、機関投資家に対するブックビル（入札）のヒアリングが事前に行われる為、どうしても機関投資家に有利になりがちだ。引受価格を下げるための空売りが常態化し、これも既存株主に不利に働く。

しかし、こういったファイナンスの代わりに、と期待されるライツ・オファリングも、実際のところ、単にＭＳＣＢの代替商品としての認知しかされていない、というのが現状だ。

そもそも、このような、つまり公募増資や第三者割当増資の代わりにライツ・オファリングを進める、という発想は、見当違いとしか言いようがない。

あくまで公募増資や第三者割当増資について、その運用手法を改善すべきであって、テクニックを駆使して、他の調達手段を編み出しても、正直な話、解決にはならないだろう。

公募増資と第三者割当増資のルールを明確化し、その上で、もっと突き詰めて考えるべきだ。より日本企業の戦略にあった運用を進めれば、日本らしい公募増資のあり方、第三者割当増資のあり方がルール化できるはずだ。

非常に残念な話だが、資本市場において、日本の証券業界は、きちんとした資本市場の制度を作ることができないでいる。

米国のルールで入れるべきものを入れずに運用をしてきたことが、ここへきて、マイナスに働いたが、その運用の改善を徹底して広めることができずにいる。投資家がグローバルになっている以上、投資家の不正を防ぐためのレギュレーションについては、無いほうがおかしい。

その上で、日本企業の特長を活かした増資手法を考えるべきだろう。

しかしそれは、企業と一部投資家、ブローカーの為にあるMSCBではないし、株主還元的な意味あいのライツ・オファリングでは、その目標は達成できない。

5章　新たな局面を迎えるRM戦争

1 「環境」がグローバルスタンダードの在り方を変える

宮沢賢治が書いた童話に、『グスコーブドリの伝記』という話がある。ブドリという一人の少年が、勉強して、やがて冷害に苦しむ故郷の村を救う、という話だが、この救い方が、注目に値する。

ブドリという少年は、冷害に悩む村を救うために、火山を爆発させ、その噴煙から出た気体が空を覆うことで温室効果を生み、村を温めた、というのだ。

彼がどこからこの着想を得たのか定かではないが、見事に地球温暖化を予言していると言って良いだろう。

宮沢賢治がこの話を発表したのは1932年で、地球温暖化の仮説が世に現れたのは1890年代なので、宮沢賢治がその仮説を知っていた可能性は高い。しかし、この問題が世界で真面目に語られるのは、この作品の発表からさらに50年もの年月が経った後であった。この環境問題の拡大は、グローバルスタンダードの在り方や、RM戦争に大きな変化をもたらす可能性がある。

１９８０年、環境庁で、一冊のレポートが話題になった。「西暦２０００年の地球」という、この年に米国大統領諮問委員会が発表した報告書だ。ここでは、当時としてはショッキングな内容が報告されていた。

「２０００年には、開発途上国の森林の40％が消失し、砂漠化が劇的な速度で進行する。」「大気中の二酸化炭素の増加で、温度は中緯度の地域で2度〜3度上昇。」「オゾン層は破壊され、皮膚がんの発生率が高まる。」

この報告書を契機として、各国では環境保護の動きが徐々に大きくなっていくわけだが、我が国でも、環境問題に関する強力な委員会が設置された。そして「所得倍増計画」を企画した第一線のエコノミスト、大来佐武郎が、その座長を務めることとなったのだった。

このときの環境庁長官は、原文兵衛だ。

この原文兵衛という人は、ある事件で有名になった人だが、彼が有名になったのは、環境庁長官としてではなく、政治家としてですら無かった。彼を有名にしたのは、１９６３年3月31日、日本で初めて報道協定が結ばれた誘拐事件、「吉展ちゃん誘拐殺人事件」だ。

この事件は結局、悲劇的な結末を迎えるのだが、当時の警視総監が、原文兵衛だったのだ。

彼は警視総監として、マスコミを通じて、直接犯人に、子供を返すよう呼びかけたことで話題になった。このとき原は、まさかこの後、自分が世界の環境問題の火付け役の一人となるとは、思ってもいなかっただろう。

原は、内務省から警視庁畑を歩んできたが、警視総監として東京オリンピックの治安維持に成功し、その功績が認められると、1971年、国会議員に立候補し、当選する。それから10年後、1981年、鈴木善幸内閣で、初めて入閣し、環境庁長官に就任した。警視庁畑ながら、戦後の人権問題を処理してきた実績が、評価されたのだろう。

環境庁長官である原と、大来の委員会は、1982年のUNEPで、環境問題における特別委員会の設置を提案する。

この提案は、世界を動かした。

彼らが提案した特別委員会は、後に「持続可能な開発」という環境問題のソリューションを定義するブルントラント委員会（1984年）の設立につながることになる。つまり、日本は環境問題の初期に、その動向を決める重要な役割を果たしていたのだ。

一方、1980年代後半になると、米国でも、環境問題は急進展を見せ始める。その立役者は、NASAの科学者と、若き政治家だった。

NASAのゴダード宇宙科学研究所（GISS）は、ニューヨークのマンハッタンにある、大都会の研究所だが、ここに、NASAの地球温暖化予測チームの本拠地がある。このチームを2013年まで率いていたのが、ジェームズ・ハンセン博士だ。ここでは17の衛星を駆使し、地球の大気の成分や地球の水温、氷の面積などをチェックする、「アース・オブザービング・システム」が稼働している。

彼のところに、ティモシー・ワースという議員が公聴会で証言するように依頼をしにきたのが、1988年のことだった。ワースは議員になりたてだったが、「西暦2000年の地球」報告書を見たのち、環境問題に非常な関心を寄せており、野心もあった。一方で、ハンセン博士は、地球温暖化に激しい危機感を持っており、ワースに頼まれたこの公聴会を好機と捉え、自説を存分に議員たちにぶちまけるつもりでいた。しかし、彼が提出した証言の原稿は、政府からダメ出しをくらう。地球温暖化は、経済の発展と共存できるという内容を入れるよう、注文を付けられたのだ。

ハンセン博士は、このことによって政治不信に陥り、それが彼の人生を大きく変えることになった。結局彼は悩んだ末、政府のダメ出しを無視し、公聴会では、環境問題が深刻であることを堂々と述べる。

「現在の異常気象の原因は、地球温暖化によるものだという考えは99%正しい」

という、いわゆる「99%発言」は、有名な発言となった。ハリウッド映画などで、政府が隠そうとしている秘密を、使命感から公聴会で暴露する科学者が時々でてくるが、その原型は彼だろう。

この発言を、マスコミがこぞって報道したことで、一般にも地球温暖化問題が広く知られることとなった。

ティモシー・ワースは、この公聴会の議長を務め、後にCNNの創業者で変わり者として著名なテッド・ターナーが設立した環境問題の国連財団理事長に就任する。さらにその後、ワースはクリントン政権で地球規模問題担当国務次官に任命され、米国の環境問題への取り組みを担っていく人物となる。オバマ政権では、環境問題に熱心なアル・ゴア副大統領のオブザーバーとなっている。1997年の京都議定書に関して米国の担当官となったのは、彼だ。

一方、ハンセン博士は、ワースとは逆のアナーキーな人生を歩むことになる。博士はその後、環境問題に消極的だったブッシュ政権を激しく批判し、オバマ政権に代わってからは、カナダとのパイプライン建設事業が環境に悪影響を与えるとして抗議集会に参加するなどし、逮捕されることになる。

このように、欧州や日本から端緒がつき、米国の科学者と若い政治家が世界に拡大させた環境問題ではあるが、その後、国際的な条約の締結に向けて、参加国を広げながら、世界は徐々に進んでいく。そしてやがて、主要国は、この「純粋な課題」を「大人の問題」にしていく。いくつかの国が、この問題の主導権を取るべくマネジメントしようと試み始め、「環境問題」

のリーダー国としての試みを行っていくのだ。

この問題をRM戦略的に扱おうとするいくつかの試みは、1988年の国連総会から始まった。その端緒を担ったのは、意外にもソ連だった。

この総会で、ソ連のシュワルナゼ外相は、初めて2年前のチェルノブイリ原発事故についての謝罪とも受け取れる発言をし、かつ、このように述べた。

「ソ連は、国連環境計画（UNEP）が、生態学的安全保障を確保するために、有効な決議を行う国連保障理事会へと転換できるかについて、議論を始めるよう提案する」

それまでソ連は全くと言ってよいほど環境問題に関心を示さなかったが、この後、シュワルナゼに続き、ゴルバチョフもまた、環境問題について、国連の場で演説を行う。ゴルバチョフは核軍縮が環境問題の解決にもつながるとし、

「国連の中に、緊急環境援助センターを創設してはどうだろうか」

と提案するとともに、

「環境モニタリングを目的とする国際宇宙研究所、有人宇宙基地の建設に協力する用意がある」

とまで述べたのだ。

東西冷戦のデタントが急速に進んだこの時期、ソ連が環境問題を利用して、国際社会に一定の影響力を残そうとしていることは、誰の目にも明らかだった。

このゴルバチョフの姿勢に危機感を感じた旧西側諸国は、1989年になると、こぞってこの問題で、先頭集団に入っておこう、という意思を明確にし始めた。

翌年、ソ連の動きに続き、英国では、サッチャー首相が、3月にUNEPと共同で「オゾン層保護に関するロンドン会議」を開催し、この会議はその後のヘルシンキ宣言に盛り込まれたフロン規制に関する取り決めを後押しした。

続いてフランスがオランダ、ノルウェーと共に、環境サミットを開催し、24カ国による「ハーグ宣言」を採択した。フランスという国は、電力の75%を原発に依存しており、環境問題については、一家言を持っている国だが、チェルノブイリの事故以来、その立場は微妙なものになっていた。しかし、そのトラウマにヒビを入れたのは、皮肉にもロシアだったわけだ。

このように、環境問題への取り組みは、いくつかの国とグループが別々に走り出していた。そして、これらの国々が、初めて環境問題について一定の合意に達したのは、1992年のリオデジャネイロ地球サミットにおいて採択された「気候変動枠組条約」（UNFCCC）だ。ここで、主要国は初めて、「同じテーブル」についたのだ。この締結に尽力したのは、ブラジル環境大臣だった、ホセ・ゴールデンバーグだ。彼は後に、日本で開催された「愛・地球博」に来日し、パネリストとして発言をしている。

しかし、せっかく各国が同じテーブルについたにもかかわらず、1995年、1996年の

ＣＯＰ１、ＣＯＰ２では主要国の足並みの乱れが顕著となった。エネルギー事情や経済の成長段階について、各国の国内事情が大きく違う為、そして、リーダーシップの所在が不安定となる中、多額の費用をかけて行われたミーティングにおいても、決まったことはと言えば、本当にどうとでも取れるようなこと、という展開がしばらく続いたのだ。

そして、各国の指導者、担当省庁の血のにじむような努力の末、ようやく次の合意を得たのは、１９９７年、日本で行われたＣＯＰ３、「京都議定書」だ。そこでは、CO_2の削減について、初めて一定の数値目標が設定され、各国がそこに向かって努力する、という形が出来上がった。強制力はそれほどでもないが、一定の具体的数値が出てきたこと、それについて合意が形成されたことは、大きな前進だった。

２００８年から２０１２年の間に、１９９０年対比で全体としてCO_2の排出量を５％減少させる（ＥＵ８％、米国７％、日本６％、カナダ５％など）ことが目標として定められたのだ。

この京都議定書を主導したのは、日本ではない。ドイツのメルケル氏（当時環境大臣、後首相）だった。というのも、そもそも京都議定書の議論の始まりは、１９９５年の「ベルリンマンデート」というものだったのだ。

しかし、この「ベルリンマンデート」、「京都議定書」には、途上国を対象にしていない、という欠陥があった。特に、中国やインドといった、これから間違いなくエネルギーを大量に消費するであろう国が、そこには入っていなかったのだ。

そういったこともあり、米国は、2001年にブッシュが政権を取ると、京都議定書から離脱してしまう。そして、2015年、歴史的な「パリ協定」の締結まで、各国はそれぞれの CO_2 削減策を進めていく。

この2001年から2015年に至る、途上国をも対象とした、温暖化ガス排出量の削減交渉は、京都議定書以上の困難を極めた。しかし、米国と中国という、世界2大温暖化ガス排出国を含め、気候変動枠組条約に加盟する196カ国すべてが参加するものとして、初の大型条約は、各国指導者の努力によって、徐々に成立に向かった。2011年、南アフリカのダーバンで開催されたCOP17で、「全参加国が認める新たな枠組み」を作るべく作業部会の設置が決まると、各国の努力は本格化した。2013年、2014年のCOP19（ワルシャワ）、COP20（リマ）で、一進一退を繰り返しながら進んだ協議は、重要な点で徐々に合意が形成された。そして、2015年の合意を目指し、カウントダウンが始まった。

しかし、交渉成立直前、想像すらしない事態が生じた。

パリ協定を目前に控えた、2015年11月13日の金曜、「パリ同時多発テロ」が発生したのだ。

世界中が注目する環境条約の大舞台は、一夜にして、中止の危機に瀕した。

テロは、週末に140人もの犠牲者が出る大惨事となり、フランス政府は非常事態宣言を発出した。翌日予定されていたフィギュアスケートのGPシリーズは中止となり、その他多くのイベントは取り止めとなった。しかしそんな中においても、パリのOECD事務局では、14日土曜日のうちに、全職員に対して、週明けも通常通り、業務を行う旨のメールが発信された。このCOP21とパリ協定の採択だけは、なんとしてもやり遂げたかったのだ。

結局、COP21の開催は、各国の同意を得ることが出来た。厳重な護衛体制の中、テロから2週間後の11月30日には、各国首脳はパリに集まり、協議は開始された。中国からは習近平も来て、議論に参加した。

この合意は、実際、容易ではなかったが、各国の首脳は「歴史的な合意の当事者」になるべく、最後まで駆け引きと妥協を繰り返した。この機会から逃げ出せば、環境という名目を使ったRM戦争の主導権争いから脱落することになってしまうのだ。11月30日に始まった協議は、厳しいスケジュールの中、12月12日まで続いた。

そしてついに、2015年12月12日夜、フランス外相のファビウス氏が「パリ協定を採択する」と宣言し、小槌を下し、会場は鳴りやまない拍手に包まれた。

パリ協定では、2020年以降の温室効果ガスの削減目標を、各国が自主的に決め、合意していく、というやり方を取り、成功した。この手法のおかげで、京都議定書で対象となっていなかった途上国にも、CO_2の削減目標を課すことに成功した。このボトムアップ式のアプローチは、日本の提案だったと言われるが、米中がこの合意に果たした働きも大きい。米国では、オバマ大統領が、この問題をリードした。任期が間近に迫っているオバマにとっては、環境問題で名前を残す最後のチャンスであったことは間違いない。また、中国にとっても、国内の環境問題が深刻化していた折、この問題に積極的な態度を取る必要があった。

つまり米中共に、この時には国内問題から、パリ協定を進めざるを得なかったのだ。2016年9月3日、米中はこのパリ協定を同時批准し、ここに世界159カ国の参加で、世界の温室効果ガスの89％を発生させる国が、意思を統一したことになった。

この合意へ至る経緯は、まさに歴史的なモノだったと言える。

この合意の一つの大きな意義は、ここで出現した合意が、「グローバルスタンダードを作らない」という新たな手法によってゴールに至ったからだ。もちろん、パリ協定は、まだ「合意」に至っただけであり、その成果はこれからだ。しかし、スタンダードを作らなくとも、世界が自主的に、自国のやり方で一つの目標に向けて進む、という一つの新しい試みが始まったのだ、ということは、きわめて画期的な世界史上の出来事だと言えるだろう。

もし、環境問題でグローバルスタンダードはこれだ、という形が決められれば、それは各国の社会事情や法律の違いを浮き彫りにし、結局は、その効果には大きな差が出るだろう。そして、それが争いや主導権争いに利用される危険に満ちている。しかも、そのスタンダードなやり方が正しいかどうかさえ、実はわからないのだ。環境問題への対策は、いま実施したことへの成果検証は、何年後何十年後にならないとわからないかもしれないからだ。
今後、世界がこのような地域の主体性を重視した形で、課題を解決していけるのであれば、RM戦争は縮小され、より地域や国の主体性が重視される世界が来るだろう。

2019年になって、トランプ大統領はパリ協定からの離脱を正式に表明（離脱は協定上2020年11月までできない）し、一方で習近平は、環境問題で世界をリードする用意がある、としている。このように、一度グローバルスタンダードやRM戦略から解き放たれた環境問題を、再び政治上の主導権争いに利用しようとする動きがでてきてはいる。

しかし、トランプ氏のこのような姿勢に対し、米国の自治体、カリフォルニア州、ワシントン州、NY州、そしてロサンゼルスやシカゴ、といったCO_2排出量の大きな都市までもが、自ら温暖化対策を継続する意思表示をした。その動きは、バイデン次期米大統領に、パリ協定への復帰を決心させた。彼らのような問題意識が、環境問題をRM戦争から守ることができるのか、期待したいところだ。

② 中国の挑戦とその危うさ

パリ協定の1年ほど前、2014年11月7日から12日の間、北京の学生たちは、予期せぬ休暇に沸いた。この期間、APECが北京で開かれることが、休暇の理由だった。同時に、この5日間の間、市内の様々な施設も、同じように休みになり、車さえもが規制されるという、異様なムードが、北京市内を包んでいた。

この規制は、後に言われる「APECブルー」の演出の為だった。大気汚染が進む北京では、普段なら空はどんよりとした曇り空。晴れていても、スモッグで曇っているかのような空の色になる。上海はもっと酷く、すっきり晴れた青空が見える日はほとんど無い。私も上海に行くことがあるが、高いビルの窓から外を見ると、遠くはすべてグレーのスモッグの世界だ。

しかし、各国首脳が集まるこの期間、習近平は自らの故郷でもある北京に、青空を取り戻し、各国にアピールしようと考えたのだ。

そして、この作戦は奏功し、APEC開催の間、美しい青空が、北京の空に蘇った。

この年の北京APECは、中国にとって、非常に重要なイベントだった。前年秋に、習近平は、「一帯一路」構想と、それを支えるアジアインフラ投資銀行（AIIB）の設立を宣言し、この北京APECの寸前、10月24日に、21カ国による設立覚書（MOU）が交わされたのだ。

「一帯一路」構想は、中国西部から中央アジア、欧州へと続く「一帯」（シルクロード）と、中国沿岸から東南アジア、インド、アフリカ、欧州へと続く「一路」（海上シルクロード）を経済圏とする国際的な交流と開発を目指す構想だ。

こういった構想は、中国で突然出てきたわけではないだろう。私も中国人や韓国人の知人がいるが、彼らは、かなり前から同じような構想、いわゆる「シルクロード経済圏」の考え方を、私たち日本のビジネスマンに主張し、そこへの投資を訴えていた。

中国人は、「シルクロード」が大好きなのだ。

そして、この構想は、米国の凋落をみた中国が、それに代わって、まずは経済的な影響力と存在感を世界全体に対して示そうという企画だった。

なぜなら、この「一帯一路」構想の資金源として中国主導の国際開発銀行である、AIIBが存在していたからだ。

この構想は、AIIBが資金を出し、構想下の各国の事業を、基本的に中国企業の手で開発していく、というのが概念だ。それは、米国が今でも投資ファンドを使って、日本の上場企業をルール的に支配しようとするRM戦略とほぼ同じ考え方に立脚していた。つまりこのとき、中国は、RM戦争への参戦を、高らかに宣言した、と言ってもよいだろう。

2014年、APECブルーが広がる北京で、習近平はホスト役を十分に果たし、中国はその存在感を見せつけた。

AIIBは、米国による不参加呼びかけにもかかわらず、イギリス始め57カ国が創立メンバー国となり、その後、2018年5月までにADB（アジア開発銀行）を超える86カ国が参加し、この中に入っていない主要国は、日米と台湾くらいとなってしまった。

しかし、現在までの途中経過から言えば、この企画に中国は失敗している。それは、中国が、RM戦略の基本を疎かにしているからだ。

AIIBが設立されて3年ほど経過したころから、参加国は、その奇妙さや危うさに気が付き始めたのだ。5年が経った頃には、「一帯一路は中国の植民地政策」「AIIBは単なる高利貸し」という評判がアジア諸国に定着した。

AIIBが資金提供をしたアジアのプロジェクトで、不確実な開発計画によって、国が事業に失敗し、借金だけが残る、という顛末が続いたのだ。そういった事例では、インフラの利権は借金のカタとして中国に取られ、建設物は中途で放棄されている。こういったことから、マレーシアやパキスタンでは、親中的な政権が、反対勢力に敗れ、中国の評判は、この企画によって逆に大きく揺らぎ始めた。

このありさまは、米国などの戦略と比較してみると、その違いがわかる。中国の場合は、自国の利益を前面に出し過ぎなのだ。AIIBから資金を貸し付け、融資に紐づいた中国の建設会社が海外の工事を受注し、うまくいってもいかなくても、資金の回収だけは厳しく行う、というだけでは、コンセプトも何もあったモノではない。

RM戦争とは、自国が仕掛けたルールであっても、誰もが一見正しいと思われるようなルールを押し付けることから始まる。例えば、中国が環境大国になりたいのであれば、ＡＩＩＢの融資審査の中で、自国で作った環境アセスメントルールを必ずクリアすること、というルールを押し付け、マネジメントをしていく。これがＲＭ戦略の進め方だ。そして、あくまで相手が受け入れざるを得ない理論と仕組みを構築することが何より大事なのだ。

そうすれば、中国は環境大国として、ＡＩＩＢの資金を見せ金に、その立場を作ることが出来るはずだ。

また中国は、もう一つの戦術を駆使しているが、これも従来のＲＭ戦争とは少し違う形を取っている。それは、国連などの国際組織の主要ポストを親中国の人材で占める、という戦術だ。しかしこれもまた、ＡＩＩＢと同じく、金にモノを言わせる作戦でしかない。

２０２０年４月現在で、15の国連専門機関において四つまでもが中国人がトップとなっている。また、中国に強い影響を受けている新興国の出身者は、中国寄りの言動を繰り返す。つまり、多くの新興国に資金提供を行うことで、彼らの票を買い、国連の主要ポストを占めていくのが、中国のやり方だと言える。

これが問題になったのが、新型コロナウイルス感染拡大時のＷＨＯだ。中国の武漢で発生拡大した新型コロナウイルスは、その後瞬く間に世界中に広がり、グローバル経済を一時停止させるまでに至った。しかしその初期に、ＷＨＯはこの問題を過小評価し、中国の封じ込め政策を支持し、パンデミックだとの判断を大幅に遅らせたとされる。この期間こそが、このウイルスを世界中に広め、多くの死者を出した原因であるとする意見がある。

ＷＨＯが、積極的な介入をしなかったのは、エチオピア出身のテドロス事務局長の指導によるとされている。そして、そのエチオピアは中国の重点投資先の一つだ。エチオピアは第２のベトナムと言われ、２０１７年末までに２４４５億円もの投資をし、中国資金による工業団地も建設されている。

中国はまだ、そうした国際的なルール作りなどに慣れていない。また、お国柄として、「儲けるのは当たり前であり、金を出すところの言うことを聞くのも当たり前」という風土があるかもしれない。しかし、そういう姿勢でいれば、資金はあっても、結局世界をリードしていくリーダーにはなれない。そして、中国にはもっと根本的な問題がある。

中国は、その一党独裁政治が正しく、その証左が中国の経済発展そのものである、という論法をその下地に持っている。つまり、中国の政治体制そのものがグローバルスタンダードであるべきだ、と考えており、その拡大を狙っていると言われる。現在のルールマネジメントの戦争は致し方ないとしても、それを拡大すれば、やがて政治体制・イデオロギーの争いとなり、これはつい数十年前までの世界、冷戦と、果てしない地域紛争を生み続けた世界への逆行を意味する。

3 5Gをきっかけに主導権を狙う中国

北京の150キロほど南に、「雄安新区」と呼ばれる地域がある。この地域は、森や湖が70%を占める、香川県ほどの広さの地域だ。この土地の一部地域に、目新しい市街地が出現した。

碁盤の目のように整備された道路では、そこを走るほとんどの車は自動運転だ。スピードが制御されてはいるが、無人の車も少なくない。さらに無人の店舗もあり、非常に静かな区域を作り出している。店舗では、中国らしくウィーチャットペイやアリペイのアプリで入店し、買い物もスマホですることができる。また、配送もクルマ型のロボットが行う試みが行われている。まさに、未来都市がそこに出現しようとしていた。

ここは、習近平氏が「国家千年の大計」として主導し、計画的にデザインされた町だ。IoT、AI、5Gこれらすべての技術の粋を集め、実用化を進めるという意味では、すでに中国は1歩以上、先へ行っていると考えて良いだろう。米国でも、それ以外の国々でも、ここまで未来を確実に予見できる場所は無いと思われる。

この雄安新区の開発が始まった同じころ、2017年7月5日、中国のインターネット検索大手である百度（バイドゥ）の陸奇集団総裁は、AI開発者大会でマイクを持ち、「今後3年から5年以内に、中国は自動運転で世界のトップに立つ」

と力強く宣言をした。このとき、百度は、世界中の企業を集め、自動運転開発連合「アポロ計画」を始動したのだ。中国の自動運転開発計画に、米国の宇宙開発計画の名前を借りるというところが、なんとも中国らしい「パクリ」だが、この計画にはトヨタはじめ、世界中の企業が参画し、実行が始まった。

さらに、中国は自国通貨「人民元」の管理と流通量拡大の為に、「デジタル通貨」=「デジタル人民元」の開発を進め、欧米や日本を大きくリードしている。デジタル通貨は、国の中央銀行が発行する暗号通貨、と言って良いだろう。この施策は、基軸通貨である米ドルからの「独立」や、商業決済システムのスタンダードを巡る、中国の大きなＲＭ戦略への布石だ。ここへ来て、日本や米国も事態の深刻さをようやく理解し、急速にデジタル通貨開発への意欲を見せているが、すでに中国に許したリードは計り知れない。２０２０年には大都市圏でデジタル元の実際の利用実験が行われている。

５Ｇ、ＩｏＴなどを活用する「第４次産業革命」で、中国は先行し、資本主義国をリードしている。ここに、現代資本主義社会の限界を見ることが出来る。今後、少なくとも一旦は、中国が世界で最もＩＴ化が進んだ国となる可能性がある。

第４次産業革命において、初期段階の技術革新は、少数の自由な発想による発明が成果を出す。しかし、それら一つ一つの技術を活かした製品を広めるには、他の業界や行政の協力が不可欠だ。そして、資本主義社会、自由主義社会においては、各自の権利が守られている為、何をするにしても、他の業界や個人との摩擦や権益と衝突をする。IT技術が如何に進んでも、例えば、個人情報保護とか、独占禁止法、反トラスト法、といったルールが、その拡大の邪魔をする。また、個人の人権が働き方改革を呼び、労働人口と同時に労働時間を少なくし、技術革新にかかる時間を長くさせる。さらに、3章で書いたように、ROE重視による米国の価格競争の低下も懸念されるところだ。

一方、中国のような統制された社会では、そんな心配はいらない。例えば、自動運転技術についてこれを社会に実装しようとすれば、道路や歩道、EVステーションや信号、通信など様々なインフラを政府の号令で作り変えてしまえば良いだけだ。我々のような自由主義国では、既存の社会インフラに自動運転車を導入しようとすれば、軋轢が生じる業界が必ず存在する。それよりも、中国のような政治の仕組みを利用して、自動運転車が危険なく走れるような社会インフラを作ったほうが、現実的で速い。

中国はこのようなモデル社会をつくることで、「先端技術を使った社会の構築」という大きなテーマで、世界の主導権をとろうとしている。一つ一つの技術や基礎理論では、米国には勝てないが、これを使った社会システムや法律など、都市デザインまで先行していれば、世界に対する影響力は大きくなる。

さらに言えば、このような社会をつくるに当たっては、中国流の政治システムが必要だ、ということが、彼らが主張したいところなのだ。おそらく今後中国は、都市建設そのものを各国から受注することを目指すだろう。政治システムが柔軟な国には、都市建設に関する政治の仕組みにまで口を出してくるかもしれない。これもまた、新しいRM戦争の在り方を呼ぶ考え方だ。

中国がここまで成長し、戦略的に伸びてきた間、私たち資本主義世界は何をしてきたのだろうか。それは、ここまで紹介してきたような、身内同士（資本主義国同士）のルールマネジメント戦争による覇権争いだ。私たちは、ここ何十年も、資本主義の本物の理論と成長戦略を真面目に議論せず、ルールマネジメント戦争による覇権争いに夢中になっていたのだ。

④欧米で育まれるポピュリズム

２０１６年11月９日、大統領選挙が終わった米国全土に、驚愕と期待と、不安が溢れかえった。

当初、泡まつ候補とさえ言われたドナルド・トランプが、本命と言われた、初の女性大統領候補、ヒラリー・クリントンを破ったのだ。選挙終盤、クリントン氏、あるいはその側近のメールデータが次々に流出し、それを材料にトランプ氏はクリントンサイドを「犯罪者」と断罪し、「大統領執務室へ犯罪者を送り込むわけにはいかない」と熱弁を振るった。クリントン側は、この相次ぐ情報流出を、トランプサイドがロシアの情報機関と連携したため、と主張し、激しい応酬が続いた。

しかし、「米国第一主義」を唱え、国民にナショナリズムを訴えたトランプ氏は、ついに大統領選に勝利し、ホワイトハウスへ入ったのだった。ここに、新しいタイプの米国大統領が誕生し、良くも悪くも、ニクソン政権以来続けてきた米国の世界戦略は大きく変わることになる。

1月20日、トランプ新大統領は、ホワイトハウスから、国民にこう呼びかけた。

「何十年も前から私たちは、アメリカの産業を犠牲にして、他国の産業を豊かにしてきた。この国の軍隊を消耗させ、他国軍隊を奨励してきた。自分たちの国境を守らず、他国の国境ばかりを守ってきた。アメリカのインフラが荒廃、衰退していく中で、他国に何兆もの資金を投入してきた。……中略……今日以降、新しいビジョンがこの国を統治する。今後は、ただひたすらアメリカ第一、アメリカ第一だ。……中略……保護によって、繁栄と力は拡大するのだ」

トランプ氏の演説には、それまでのアメリカらしい「自由」「正義」などという言葉は、数少なくしか出てこない。

逆に「保護」という言葉を使っている。

このとき、明らかに米国の戦略は変わった。

RM戦略が破棄されるかもしれない瞬間だったといえる。

それは、トランプ氏がこのときまだ政治家ではなく、RM戦略を理解していなかったからだ、と言うことが出来るが、それは彼の本質であり、大統領になっても変わらなかった。

トランプ氏の公約は、「米国第一主義」によって、「偉大な米国を取り戻すこと」だった。彼にとっての「偉大な米国」とは、「偉大な名誉」を意味しているわけではない。「偉大な経済的利益」こそが、トランプ政権にとっての優先政策であり、そのことを、彼は隠そうともしなかったのだ。

トランプ氏は、就任後すぐの1月23日、TPPからの脱退の大統領令に署名した（後に再度加盟を検討する）。さらに、企業の米国への投資に対して、経済的なメリットを与えた。彼は、USA株式会社の社長であるかのように、他国に投資を求め、米国の製品を売り込み、自国企業に米国へ資金を戻すことを奨励した。そのほかにも、NAFTAの再交渉を示唆し、パリ協定からの離脱を表明した。

トランプ政権は、これまで米国が優等生的に進めてきた政策を次々に廃止しようと動いた。つまり、過去の米国のRM戦略を否定したのだ。そして、米国がかつて日本やドイツ相手に言ってきた言葉、「保護主義を是正しろ」という言葉を、そのまま逆に米国が、投げかけられるようになった。

簡単に言えば、これまで米国は理論上の「正義」を振りかざし、自国のメリットを中長期的に得るため、他国との交渉を行ってきた（＝ＲＭ戦略）が、トランプ政権は、理論上の「正義」などは顧みようとしない。米国の不利益になっていることはすべてそれだけで即「是正対象」となる。そのため、他国が、逆に「正義」を振りかざし、トランプ政権に反発をする機会を持った。

このことは、本来、他の国々にとっては、ＲＭ戦略を有利に進める材料となり得る。しかし、中国以外どの国からも、そのような動きは見られない。自由主義各国はトランプ流のポピュリズムに対し、同じようなポピュリズムで対抗しようとしたのだ。

このように、トランプ政権に対して、「正義」を振りかざそうとする他国の政権が無い、という現実は、今世界中のどの主要国も、米国と同じように、自国のメリットを優先する保護主義ポピュリズムに陥っていることを意味する。

英国では、米国にトランプ政権が誕生する半年前、２０１６年6月23日、ＥＵから離脱すべきか否かの国民投票が行われた。そして、わずか４％の差で、離脱派が勝利し、英国はＥＵからの離脱を決めたのだった。フランスでも、ル・ペン率いる保護主義的勢力が台頭を始め、他の欧州の町でも、国家から独立しようとする動きが盛んになった。

このように、世界は全体的に大衆的になったが、それは偶然に起きた事象ではない。私は、それが長きにわたるRM戦争に対する拒否反応が、大衆の間に育まれてきた結果だろうと、考えている。そして、そのきっかけとなったのは、自らRM戦略を放棄しようとしたトランプ政権の誕生だろう。

トランプというビジネスマンは、これまでの米国のRM戦略が、結果的に米国に経済的な大きな負担を負わせ、それに見合うメリットを生んでいない、ということを感じたに違いない。政治家でない彼が、米国のRM戦略を経済的損得だけで計算した結果がRM戦略からの撤退であり、それに大衆が賛同したのが、この政権誕生の背景ではないだろうか。

RM戦略とは、つまり、世界をリードしていくことと同じ意味を持つ。その為のコストが、短期的な収益に合わない、ということは、トランプ氏のビジネスマン的な感覚だろう。こういった考えでは、確かに米国の官僚や他のスタッフと方針が合わなくなるのも無理はない。トランプという政治家は、過去のアメリカが求めた「名誉」や「正義」を重視しないことを表面に出した、珍しい存在なのだ。その存在が、意図せず「RM戦争軍縮」を進めるエンジンになっている。そして忘れてならないのは、2020年の大統領選で敗れたとはいえ、トランプ政権は、大衆に、ポピュリズムの種を植えつけ、RM戦略への疑問をつきつけた、ということだ。

トランプ政権後の世界では、それは元に戻るのだろうか。バイデン政権は、いくつかの分野で、RM戦略を復活させようとするだろう。しかし、中国の力が強大になってきた今、米国が

ＲＭ戦略の力を再び得るには困難を伴うだろう。

もし中国が、ＲＭ戦略を正しく実行するなら、トランプ政権によってＲＭ的に弱体化した米国と西側諸国は、たちうちができないかもしれない。

いずれにしろ、ＲＭ戦争は、今後、新たな局面を迎えることは間違いない。

5 古きＲＭ戦争の遺物、怪物たちの自滅

環境問題や新型コロナ問題、米中の状況変化により、ＲＭ戦争はあり方を変えていくだろう。すでに「資本のルール」をテーマにしたＲＭ戦争は過去のものとなりつつある。しかし趨勢に反し、その最後の果実を取りに行こうとする勢力も出てくる。もうすぐ時代遅れになるであろうこれらの勢力は、社会の変化に乗り遅れれば、世界における危険分子になりかねない。

その代表例は、「アクティビスト」と言われる「怪物」だ。彼らは、驚くほどの資金を動かし、企業だけでなく、国家さえも叩きのめす力を持っている。彼らは、「資本のルール」によるＲＭ戦争をよく理解し、これをフルに活用するビジネスを展開している。ウォーレン・バフェットや、日本でいう村上ファンドが、その代表例といえる。

ＲＭ戦略において、

「このルールに従え、さもなければ株を買ってやらない」

というのは、まだ良い。消極的な攻撃だからだ。

そして、

「このルールに従え、さもなければ信用を貶めてやる」

という格付け機関は、少しやりすぎだった。

しかし、もっと悪いものがある。

「このルールに従え、さもなければ、経営を乗っ取る」

というものだ。

これが、いわゆる「アクティビスト」のやり方だ。

アクティビストは、この数十年で巨大化した、いわゆる「ＲＭ戦略の産物」であり、巨大な「兵器」としても存在感がある。

これまで説明してきたように、資本主義社会のＲＭ戦争では、ファンドなどの資本が、そのルールの拡散に重要な役割を担ってきた。彼らは、いわばＲＭ戦略の兵士、と言って良いだろう。しかし、ＲＭ戦争におけるファンドの役割は、あくまでルールを守らない企業には投資をしない、または買った株を売却する、ということで、他の企業との競争力を削ぐことにある。

しかし、アクティビストは、同じファンドであっても、それを一歩進め、より高度な要求を投資先に迫る。しかもその背景となるルールは、彼ら自身が決め、より厳しく運用していく、という特徴がある。

彼らは、まず狙った企業の株式を買い進め、一定の割合をもったところで、株主総会や投資家ミーティングを通じて、自分たちの要求を積極的に主張し、企業側が言うことを聞かなければ、経営陣の交代などを提案する、と脅しに近いやり方をする。

こういったアクティビストの手口は、市場でもたびたび批判される。しかし、その批判がいつもそれほど広がらず、気が付けば逆にアクティビストらの力が増していくのは、結局のところ、アクティビストではない通常のファンドも、やっていることは、彼らとそれほど変わらない、ということを、皆が分かっているからだろう。これまで何度か指摘したように、株主利益に偏重した価値観が、米国流のルールであり、私たちはそのルールにいつのまにか縛られている。アクティビストも、そのルールの体現者の一人なのだ。アクティビストなのか、そうでないファンドなのか、という違いは、単に言いたいことをどれほど強く言うのか、という程度の問題にしかならないのだ。どちらも同じように、「株主還元を行い、ＲＯＥを高めなさい」という。

スチュワードシップ・コードを受け入れた機関投資家は、「スチュワードシップ責任」を負い、エンゲージメント（企業との対話）をする、という形式の元にそれを言う。一方、アクティブファンドは、その為の具体的な提案まで、公開の場で行う、ということが異なる部分だ。「●●事業を売却しなさい」「●●部門を廃止しなさい」ということを、彼らは公開質問状や、株主総会での株主提案の場で行う。この方法は確かに強引な手法に見える。しかし、普通の機関投資家でも、経営陣との取材活動（ワンオンワンと呼ばれる）のときに、同じような内容の提案をサジェスチョンするものだ。

前に紹介したように、英国発のスチュワードシップ・コードでは、企業は、機関投資家と、企業統治などの在り方について積極的に意見交換をすることとなっている。このような意見交換（エンゲージメント）に縛られる上場企業にとってみれば、アクティビストは、単に普通の機関投資家の延長線上にあるにすぎず、本質的には同じものだと感じるだろう。

ここに、人々は根本的な疑問を持たなくてはならない。つまり、アクティビストは、米国流のＲＭ戦術を、より素直に実践している姿そのものなのだ。


しかし、私は、やがて彼らアクティビストは失敗をするだろうと考える。企業をダメにし、他の投資家からも嫌気されるときが来るだろう。ＲＭ戦略について、彼らはあまりにも悪乗りをし過ぎている。

いかにアクティビストたちが、もっともらしく聞こえるようなことを言っていたとしても、彼らは、ただ自分たちの利益を最優先しているだけなのだ。米国のような国の方針の一部として、その利益優先が野放図にされていたとしても、理性的で、もっともらしい理屈がついている間は良い。これが一定の枠を超えた場合は、その仕組みは崩壊に向かう。

そのような節度を越えたアクティビストが、近時、目立ち始めている。これまでのアクティビストたちは、その危険性を理解し、節度を持った行動をしてきた。彼らが通貨などを標的にした場合の方が、企業相手よりも、「えぐい」手を使ってきたのは、企業相手にあまりに圧力をかければ、それこそがやがて自分たちの評価や、資本主義世界そのものを貶めることを知っていたからだろう。しかし、そういった認識を持つ「社会的アクティビスト」に対し、近時出現したアクティビストの中には、「破壊的アクティビスト」とさえ呼ぶことが出来る者たちがいる。

アクティビストとして世界的にもっとも有名なのは、前出したバークシャー・ハサウェイを率いるウォーレン・バフェットだ。彼は、アクティビストではあるが、世界経済や国家戦略をよく理解し、紳士的に振る舞ってきたビジネスマンだ。しかし、彼と同じようなビジネスをしていても、米国のＲＭ戦略を自分の利益優先のために利用しようとするだけの連中もいる。

２０１７年7月、ウォーレン・バフェットは、子会社のバークシャー・ハサウェイ・エナジーを使って、テキサスの電力会社Oncor（オンコー）の買収を手掛けていた。バフェットの後継者と目されていた、Ｂ／Ｈ／エナジーの代表者、グレッグ・アベルは、見事な交渉手腕を見せていた。どのような手品を使ったのか、１５０億ドル以上の買収価格を提示していたOncorの親会社は、結局は90億ドルで買収に応じ、7月7日、ハサウェイによる買収が発表されたのだった。

しかし、この買収は実現しなかった。あろうことか、グレッグ・アベル、そしてバフェットは、このディールで、ある男に一杯食わされることになったのだ。それが、エリオット・キャピタルマネジメントのポール・シンガーだった。

ポール・シンガーは、もともと、財政破綻に陥った債権（政府発行の債券など）を二束三文で買い、その全額回収を求め米国で裁判を起こし、勝訴に持ち込む、ということを得意にしてきた男だった。投資家というよりは弁護士そのものだ、と言って良いだろう。しかし、そんな彼の元に資金は集まり、彼が立ち上げたエリオット・キャピタルは、すぐに膨大な資金を運用するようになり、ターゲットを国から企業へと変えていったのだ。

ポール・シンガーは、Oncorの親会社の債務を債権者から買い取り、親会社を支配した上で、Oncor株のハサウェイへの売却を止めさせたのだ。そして、それよりも0・5億ドル程度高い値で、他の投資家へ、Oncor株式を売却することに成功した。この件によって、ポール・シンガーは名を上げ、エリオット・キャピタルは、350億ドル以上の資金を運用し、世界最大級のアクティビストとして、恐れられるようになった。

ちなみに、ポール・シンガーは、共和党への資金提供者としても有名だ。当然、米国が投資家を他国との交渉に使う、という政府の戦略をよく理解している。しかしおそらく彼が、より理解しているのは、RM戦略を支える「理論」の重要性ではなく、あくまで戦術として、米国が機関投資家と二人三脚であり、このことこそが、米国を世界のリーダーの地位に押し上げている理由である、ということだろう。彼は投資家というよりは、法律家なのだ。

エリオット・キャピタルは、その後、日本のユニゾ・ホールディングスにＴＯＢの提案を行っている。ユニゾは、それに対して「従業員」こそが会社の主なステークホルダーであるような主張で対抗をしようとしているが、現在の「株主第一主義」が国内にさえ蔓延している状況では、説得力は弱いと言わざるを得ない。次いで２０２０年2月になり、エリオット・キャピタルは、ソフトバンクグループの株主として顔を表し、株主還元などの要求を突き付けてきた。

このような、アクティビスト同士の競合における勝利を優先課題とすれば、もはや紳士的な態度は不要となり、資本のルールを逆手に取った戦いが、激化するだろう。そして、ＲＭ戦略の副産物が巨大化したことは、今のＲＭ戦略の衰退を招くかもしれない。資本やファンドを前面に出して攻めるやり方は、いずれ他国の支持を得られなくなるか、他国に対して、米国のルールを拒絶する良い理由を与えることになるに違いない。

⑥ゴーン逮捕は、グローバルスタンダードへの反撃か

日本でも、海外の「常識」に対する「反動」が起き始めている。その中でも、カルロス・ゴーン氏の事件は、国際的にも大きな注目を浴びた。

２０１８年11月19日、という日は、日本とフランスにとって、忘れがたい日となった。この年は、日仏交流１６０周年ということもあり、各地でイベントが行われており、両国政財界の大物が、来日し、あるいは渡仏していた。特にこの日の朝は、フランス商工会議所が、創立１００周年記念行事の締めとして、大手町で「日仏ビジネスサミット」を開催していた。

ルイ・シュバイツァー氏は、ルノー名誉会長として、10時15分からのメッセージで日仏ビジネス協力の意義を訴えた。彼は、フランス財務省の出身だが、国営ルノー財団からルノー会長に就任し、最も苦しい時のルノーを率いた一人だ。ボルボとの合併には失敗したものの、ルノーを民営化した後、日産への出資を実現し、ルノーを死の淵から救い上げることに成功した。

そのシュバイツァー氏に続いて、日産自動車の西川社長も、日産とルノーのアライアンスの素晴らしさをスピーチした。西川氏は、この時点で、「ひょっとすると、その数時間後には自分が『日本のブルータス』と呼ばれるようになるかもしれない」ことを知っていたはずだ。

その後も、富士通の田中社長、ぐるなびの滝会長、コニカミノルタの松崎取締役といった大物経営者が続々と登壇した。

日産自動車のカルロス・ゴーン会長が逮捕された、という一報が入ったのは、この日の午後だった。夜7時からはフランス大使館でのパーティーが予定されていただけに、関係者は、凍り付いた。関係者によれば、実はこの日午後の発表前から、一部でその噂はあったというが、真偽はわからない。

ゴーン氏の容疑は、東京地検得意の「有価証券報告書虚偽記載」だ。2011年3月〜2015年3月にわたるゴーン氏の役員報酬は、99億98百万円だったにもかかわらず、有価証券報告書上は49億87百万円と記載されている、という疑いだ。

日産の西川社長は、ゴーン氏逮捕の当日、緊急記者会見を開き、ゴーン氏の誤りを認め、3日後の11月22日には、ゴーン氏の代表権、会長職を解く決議を行う方針を説明し、それは実行された。そして、ゴーン氏は逮捕後に保釈金を積み拘留を解かれたが、あろうことか、その後2019年年末、関西空港から違法に脱出し、レバノンへ逃れてしまう。

ゴーン氏の逮捕については、その経緯について様々な憶測がされているが、この案件が、日仏の国家間の問題に発展するほど重要な案件であることは明らかだった。フランスは、ルノーという半官半民の企業（筆頭株主はフランス政府）を通じて日産を支配し、その技術をフランス国内に還流させようとする戦略だったからだ。

このような、国営企業を通じて海外企業を買収し、技術移転を狙う、という手は、いまは中国が得意とする手法だが、当時、フランスも同じ手法で日産を買収した。当初は、業績悪化の日産が、ルノーと、そしてスーパー経営者であるゴーン氏に助けてもらった形だったが、その後、事情は逆になった。いまや、経営難に苦しむルノーの業績をなんとか保たせているのは、日産の収益力となっている。

こうした手法は、RM戦争とは異なり、単純な「資本主義の悪用」だ。国家が資本主義のシステムを利用することは、決してルール違反ではないが、そもそも国家は利益を第一としないので、市場への参加者としてはあまりに特殊であり、しかも行政的にその出資企業を利することができる。つまり、そういった企業が上場していること自体が、他の株主の利益にならないだろう。なぜなら国家は、利益至上主義であってはならず、一方で資本市場は、誰もが利益を上げることを第一目標としている、という前提で成り立っているからだ。

つまり、国が筆頭株主であるような企業は、他国企業の買収を行うべきではない。これは、資本主義システムの誤謬だとも言える。私は、国が株主に入っているような企業には、別の市場を作ってそこで売買をさせるべきだと考えている。

しかしいずれにしても、このような国家間の問題に発展するリスクがあるにもかかわらず、日産事件が進行したのは、実はこの問題の核心が別のところにあるからだ。それは簡単に言えば、日本人の他の経営者や従業員にとって、ゴーン氏の報酬や振る舞い、経営手法が気に食わなかった、ということだ。その後の経緯を見ても、ゴーン氏の逮捕には、社内の反対勢力が深くかかわっていると考えられる。彼のやり方がグローバルスタンダードかどうかはさておき、少なくとも日本社会には受け入れられにくかったのだろう。

ゴーン氏逮捕の背景には、このような外国人の経営に対する「NO」がある。そして、これまでは、こういった確執が表面化する事例は稀であったと言って良いだろう。外国人の経営方法について、不服はあったとしても、多くの日本人は、我慢し、これがグローバルスタンダードであり、自社が成長するために必要な変化なのだ、と納得しようとしてきたのだ。

これに似た事例をもう一つ紹介しよう。ソフトバンクのケースだ。

2016年6月、株主総会が押し迫った6月12日、ソフトバンクに異変が起きた。ソフトバンクでは孫正義を継ぐと言われていた、代表取締役副社長のニケシュ・アローラ氏が、突然、任期満了で退任する、と発表されたのだ。通常ならば、株主総会の議案は、総会の1カ月ほど前に送られる招集通知に載っているものがすべてで、そこではアローラ氏は再任されるはずの役員だった。株主総会が間近なこの時期に、そのような事態が発表されることは、異例だ。その背景は、不明だが、表向きの発表では、アローラ氏への経営権禅譲にもう少し時間がかかるため、一旦、顧問になってもらう、というものだったが、それを額面通りに受け止める人は少なかった。

アローラ氏は、インド生まれのIT技術者で、あのグーグルを世界一へ導いたと言われる経営者だ。孫氏が後継者に、というのも十分に理解できる経歴だが、彼の契約金は165億6500万円、役員報酬は80億円だった。一般的な上場企業役員らとの比較などを考えると、ばかばかしいくらいの水準の収入だ。

カルロス・ゴーン氏の約100億円の報酬もすごいが、このような経営者に対する高額な報酬に対して、日本社会の目は厳しい。おそらく、彼ら二人の報酬が日本でも快く認められるとすれば、彼らが単に企業業績を伸ばした、というだけではだめで、世間からも尊敬され、地域に貢献し、社員たちに対する適切なリーダーシップを発揮していることが必要だろう。

日本における役員報酬とは、あくまで従業員給与の延長線上にあり、飛びぬけた報酬に対する正当性があるとすれば、それは、より多くのステークホルダーへの貢献と、それらからの支持が必要だ。

これは、どちらが悪い、というよりは、日本社会に欧米のルールを持ち込んだことに対する軋轢だろう。もっと言えば、日本型経営の逆襲、と言えるかもしれない。本当に経営者にそれだけの報酬を払うことが、正しいことなのか、ということだ。

純粋に、会社が株主のものである、という定義からすれば、株主に利益をもたらす経営者には、多額の報酬を払ってもおかしくは無いのかもしれない。しかし、株主に利益をもたらしたのが、本当にただ一人の経営者によるものなのか、といえば、確かにそこに違和感は残る。優秀な経営者は、優秀な部下が支えているのが、多くの場合その実態だ。そしてその部下には多くの優秀な社員から成るチームがある。もちろん、経営者が優秀でなければ彼らは機能しない。しかし、部下が優秀でなければ経営者の人格も発想もマネジメント力も、活かすことは出来ない。

経営者が如何に優秀であっても、パワハラ並みの恐怖で統治される組織は、一時はうまくいっても、いずれ瓦解するし、一人だけ高額収入を得るシステムも同じだ。日本の大企業では、業績を上げる能力だけではなく、その人物の包容力、社会的貢献度、従業員の支持、業界における信用力、そういったものがすべて報酬に影響する、と考えるべきだろう。

一方、こういった日本型経営を前面に出すような「日本のサラリーマンの戦い」は、今後、普通に現れるようになるかもしれない。これこそが、欧米のRM戦略に対する日本社会の反撃だろう。企業は、基本的にその社会に根付いた存在であり、すべての経営ルールを欧米式に変えるのは、ナンセンスだ。企業のその多様性を認めるべきだし、それを否定する権利はどのステークホルダーにも無い。

おそらくここ数年の間に、既存の資本主義の仕組み、特に過度な株主権の重視は、反省を迫られるだろう。ソビエト連邦の崩壊ですっかり勝利をしたつもりで資本主義世界同士の潰しあいをしている資本主義・自由主義諸国は、いつの間にか中国という強大な国に、その主導権をとってかわられる危機に直面している。

さらに、新型コロナウイルスの感染拡大が、企業のROE偏重主義の危うさを浮かび上がらせた。いざという危機に当たり、資金は株主に還元してしまい、雇用を守る資金や、衛生管理への投資は出来なくなってしまっていたのだ。

この現実の前に、ROEの市民権は後退し始めるかもしれない。

それに代わって出てきているのが、次項で紹介するESG（環境・社会・ガバナンス）投資だ。

とはいえ、私は、ESGの考え方が正しく、資本主義はそこへ全面的に集約すべきだと考えているわけではない。このルールマネジメント戦争の覇権争いの中では、このESGもまた、やがてはどこかの国が主導権を握り、これを戦略化し、結果的に間違った方向へルールを定め、グローバルスタンダードとして強要するだろう。しかし、ESGの要素を取り入れ、様々なステークホルダーの存在を投資や経営理論に包含することは重要で必要な変化だ。

重要なことは、国際的な機関投資家が、地域の特性を正しく理解することだ。投資家は、各地域に合わせた投資理論や係数・変数を駆使して、縁の下の力持ちとして、各地域の経済を支えることが、理想的だと、私は考える。

再度、ステークホルダーについて、考えてみよう。

本書の結論からいえば、投資家は、経済を主導する立場を放棄するのが妥当だ。経済の主導者は社会そのものであり、企業であり、需要者としての市場であり、技術なのだ。資金がなければ、企業は確かに何もできない。しかし、社員や顧客や社会そのものがなければ、やはり存在できないのだ。投資家たちに、企業を導く役割を与えるのは、米国の事情による米国の戦略にすぎない。

冷静に考えて頂きたい。資本家や投資家は、他のステークホルダーよりも、企業に対して賭け率が高いのだろうか。わかりやすく言えば、投資家は企業に命を懸けている、だから企業に対する発言権が強い、と言えるだろうか。少し考えれば、それが間違っていることはわかるだろう。事実はその逆なのだ。雇用が昔よりは流動化しているとはいえ、経営者や従業員の中には、会社に人生や自分の存在価値を懸けている人が少なからずいる。地域の中には企業が潰れれば、雇用が維持できず、人口が減り、衰退するところもある。一方で、投資家はどうか。投資家は、その企業が気に入らなければ、その株式を市場で売却するだけだ。そのような、お気楽な立場のステークホルダーが、真面目に本当に企業の為になるような助言をするだろうか。

米国では、経営者も従業員も、日本よりはるかに流動的だ。嫌になればすぐに辞めて、他の職を探せばよい（かもしれない）。だからこそ、投資家が彼らより発言権を持つことに対して社会が受け入れるのだろう。しかし、日本では事情が違う。日本の経営者のかなりの部分は、「勝手に株を買って言いたい放題言って気がついたらいなくなるような輩に、なんで意見されないといけないのだ」と思っているのだ。この考えは、一朝一夕に変えることはできないし、変える必要もないだろう。

投資家や証券市場は、企業を支える黒子に過ぎない。もちろん、黒子としての役割はとてつもなく重要だ。特に、彼らには企業ガバナンスの強化、不祥事の撲滅、という終わりのない使命がある。しかし、彼らが経済を主導してはいけない。投資ファンドが、企業の財務戦略への口出し、政府の財政政策への口出しなど、すべきではない。どのように言いつくろっても、我田引水にしかならないことは、わかりきっているからだ。金融に携わる者が主導する世界は、必ずひずみが起きる。

7 ESG投資……その主導権争いと、日本

『ディープ・インパクト』というハリウッド映画がある。地球にすい星が衝突し、人類が全滅の危機に瀕する、という映画だ。このときに米国大統領役を演じたのがモーガン・フリーマンという俳優だった。彼は、その後も時々、同じような役を演じているのを見るが、そのたびに、私はある人を思いだす。外見がよく似ているからだが、それが、元国連事務総長の、コフィー・アナンだ。今でもハリウッドは「良いリーダー」のイメージを、アナン氏に重ねているのかもしれない。

アナン氏は、事務総長時代、国連改革に多大な貢献をし、そもそもシステム的に限界がある国連を、よく引っ張っていった偉人と言える。彼は、とてつもなく頭の良い人だったようで、ガーナ出身だが、1961年に米国のマカレスター大学経済学部を卒業した後、1962年に

ＷＨＯ（世界保健機関）に勤めながら、ジュネーブの国際高等大学大学院で学び、ＮＹに異動後にはマサチューセッツ工科大学で科学修士号を取得している。

１９９７年、アナン氏は国連事務総長に就任すると、平和維持活動を強化し、対テロ対策にも注力した。そして何より人権活動には熱心で、国連加盟国に、「人道に対する罪から、国民を保護する責任」を認めさせた。

そして１９９９年、彼は毎年行われる政財界トップのミーティングである「ダボス会議」で、「グローバルコンパクト」という概念を提唱した。この「グローバルコンパクト」は、人権保護、不当な労働の排除、環境への取り組み、腐敗防止、の四つの分野における10原則で構成されている。このとき、はじめてグローバルな形式で、企業が環境や人権に対して責任を持たなくてはならない、ということが、世界の公式な舞台で認められたと言って良いだろう。

アナン氏はその2年後、２００１年のノーベル平和賞を贈られた。

「グローバルコンパクト」の10原則に対し、世界中の企業からの賛同が集まり、２０１９年には署名者数が1万社を超えた。企業が単に株主の利益を生み出すものではなく、社会的な存在である、ということに意義を見出す経営者は、世界中にいるのだ。

日本でも２００３年、グローバルコンパクトネットワークジャパン（ＧＣＮＪ）が創設され、２０１９年末で３４４の企業が参加している。この動きは、日本における企業の社会的責任（ＣＳＲ）活動の普及につながり、ＧＣＮＪはＣＳＲ活動のプラットホームの役割を果たしている。

企業の社会的責任（CSR）という概念は、企業が利益追求を適切に行うための企業統治、雇用、環境対応などのほかにも、地域への貢献活動、直接事業に関与していない環境保護活動など、市民としての適切な社会貢献を意味している。


CSRの普及は、前章まで説明をしてきた、過度なROE重視などの「株主第一主義」の修正につながる動きだと言える。これは米国にとって、RM戦略に重要な変更を迫られる動きだと言えるだろう。もちろん、米国は、こういった動きをけん制しつつも、反対はしない。RM戦略とは、押し付けたいルールが、あくまで「正しい」と多くの人に認められるような、もっともらしいものでなければならないが、CSRに反対するような理由は、今のところ見当たらないからだ。もし、CSRが多くの人々に支持されるべき存在であるならば、米国としては、逆にこのCSRの動きの先頭に立ち、そのルールを支配する側に立たなくてはならない。

一方、アナン氏は投資家に対しても行動を起こした。2005年、カルパース（カリフォルニア州職員退職金年金基金）やノルウェー政府年金基金など21の機関投資家に、投資家として投資先への態度として守るべき原則を作るよう、指示をしたのだ。そして翌年4月、この原則は「国連責任投資原則」（=PRI）としてNY証券取引所で発表された。その後、このPRIに署名する機関投資家は増え続け、2019年末には2000を超え、3000に近づいている。

このように、PRIに署名した機関投資家は、投資家として、企業が企業統治や環境配慮などに注力をするよう、投資活動を通して努力しなくてはならない。そのときに重視するのが、ESG（環境・社会・ガバナンス）といういわゆる「非財務情報」であり、機関投資家は、それを企業側に開示するよう、進めていく。こういった投資活動を「ESG投資」と呼んでおり、2017年頃から、注目を浴びている。

ESG投資と、CSRとは、似たことを表現しているが、実際には、微妙に意味が異なる。ESGとは、CSRの中でも、あくまで企業の中期的な利潤に影響をする項目を抽出したものだ、と考えた方が良いだろう。CSRは、より社会貢献・ボランティア的な要素が多い。CSR活動は、それがどのように企業の利潤につながるのか、機関投資家らは不透明であるとし、理解は示すが、積極的に推奨はしない。企業の利潤と関係が無ければ、それは継続が難しく、持続的ではない可能性がある。また、過去の経験から、そのような活動が実は、経営者らの個人的な収入に結び付く、あるいは粉飾決算に使われる、という可能性があるからだ。彼らが勧めるのはあくまで企業利益につながる、ESGだ。

いずれにしても、2017年から2020年にかけ、ようやくこのESG投資に対し、米英の大手機関投資家は、その取り組みを始めた。彼らにしてみれば、ROEや株主還元を武器にした「株主第一主義」の美味しい果実がまだ続く可能性はあるが、次にくる「ESG投資」の分野で、優位な立場を得なければ、自分たちの将来は無いと考えたのだろう。国連が発信源とはいえ、どうせ波及するルールならば、その流れを横取りし、世界をリードできれば、そのメリットは計り知れない。

２０１７年3月、日立製作所や三菱ケミカルなど、日本の大手上場企業に、ある機関投資家から書簡が来た。

「企業の持続的成長には、ＥＳＧが不可欠だ。グローバル企業は、進出先の地域に根差した存在であるべきである。」

「安易な株主還元よりも、将来に向けた成長投資を優先するよう求める。これについて、対話による改善が見られず、会社側の説明が不十分な場合は、取締役選任、役員報酬に反対票を投じる」

これまでの機関投資家の行動指針を真逆にしたようなこの書簡を送ったのは、世界最大級の機関投資家の一つ、英国ブラックロックのラリー・フィンク会長兼ＣＥＯだった。

このレターは、企業側のみならず、米国の機関投資家を、動かすことにつながった。ＥＳＧを無視していては、業界での地位に影響を及ぼす、という危機感が、米国の運用会社を動かしたのだ。米バンガード・グループも、その年にはＥＳＧ指標の検討に入り、その指標に基づいたＥＴＦ（上場投資信託）を開発し、２０１８年6月、二つのＥＳＧ重視のＥＴＦをリリースした。その後も、ＥＳＧをテーマとした投資手法は次々に開発された。

しかし、ブラックロックは、今のところ、この分野で主導権を発揮している。投資信託評価会社、モーニングスターによれば、ＥＳＧ投信と分類されるＥＴＦは、２０１９年末、81本あるが、ブラックロックの「ｉシェアズ」シリーズ6本が、大きな残高を維持している。

２０１９年、ブラックロックのラリー・フィンク氏は、近いうちに大きなポートフォリオの入れ替えを行う、とＥＳＧ投資へのさらなる傾注を宣言し、米国系のファンドも、モルガン・スタンレー、モルガン・チェースが、ＥＳＧ投資を拡大する方針を公表し、それに追随した。


さらに、こうした動きに呼応するように、経営者側にも動きが出た。同年8月19日、米国のトップ企業１８１社から成るロビー団体、ビジネスラウンドテーブル（ＢＲ）が、「企業の目的に関する声明」とする公開書面を公表し、投資家を驚かせたのだ。

「企業にとって、すべてのステークホルダーは、重要で不可欠なものである。私たちは、企業、コミュニティ、国家のためにその全員に価値をもたらせることを約束する」

この声明は、これまで米国が強力に推進してきた「株主資本主義」を否定するものだと言える。日本の経営者たちが心の底で思っていた思いを、米国の経営者たちが、突如、代弁したのである。

もともと、欧州では、こういった考え方、つまり、「企業とは、顧客や従業員、地域、株主、取引先など、すべてのステークホルダーのものである」という考え方が存在した。これは、日本の企業文化「三方よし」にもつながっている。しかし過去においては、この考えは否定されてしまってきた。その理由は、一時度重なった会計不祥事だ。会社の利益にならないような資金の使い方は、オーナーや経営者たちの不正な所得につながっている、という性悪説が、世界を取り巻いたのだ。

しかしいま、その「ステークホルダー資本主義」は、捲土重来、ビジネスの表舞台に出てきたのだ。

さらに、２０２０年のダボス会議でも、この件は取り上げられた。ダボス会議を主催する世界経済フォーラムのブレンデ総裁は、「株主第一主義」の見直しを支持したのだ。「21世紀の企業は、従業員や社会にも責任を負う」と述べた。日本では当たり前のように語られてきたことが、ようやく世界的に認められ始めたのだ。

ちなみに彼は、「資本主義は、今後、タレンティズムに移行する」と言ったが、このタレンティズムという言葉は、人、才能、という意味でとらえるべきだろう。日本でも、このような「人本主義」を唱える学者もいる。ブレンデ総裁は、スウェーデンの元外相であり、環境相でもあった。北欧の優良国から見た現在の米国流資本主義は、やはり不健康なものに映るのかもしれない。

そうした中で、世界経済フォーラムは、２０２０年ダボス会議のテーマを、「ステークホルダーが作る持続可能で結束した世界」と決定した。

このような流れを考えると、今後、従来の日本型経営が見直される可能性もある。これは、日本が主導権を発揮する大チャンスではないだろうか。

ただし、現在のESG投資への流れは、まだ明確ではない。ESG投資の際に検証すべきESGスコアや、開示すべき項目など、その詳細は、各国・各機関投資家が独自に判断しているのが実態だ。そして、そのスタンダードを作り、広めた国が、この分野の主導権を取ることになる。これまでの流れから言えば、主導権は英国をはじめとする欧州にある。しかし、資金量などの面で圧倒的な強みを持つ米国が、必ず、主導権を取りに来るだろう。あるいは、ESG投資を否定する立場に回る可能性もある。その目的自体は否定せず、現在のESGの在り方が、企業の社会的責任や環境保護に十分な効果を発揮しない、という主張を始めるのが、彼らの常とう手段だ。しかし、ESGをRM戦略の道具にしてはならない。環境問題同様、ESGは、企業が到達すべきゴールを示し、株主第一主義を修正する役割を持つ。しかしそこに到達するルートは、国や企業によって異なって当たり前なのだ。

我が国としては、企業の利潤を、配当や自社株買いによって欧米の機関投資家に流出させ、日本の経済成長を止める、現在のシステムを早く止め、次のシステムへの移行を急がなくてはならない。その中で、ダボス会議も、ビジネスラウンドテーブルも、「こちら側」につく見通しが立っているのだ。この動きこそ、日本がリードして実現すべき課題だろう。

世界一の残高を持つと言われる日本の機関投資家、ＧＰＩＦや、東証、日本の財務省は、今こそ、動くべき局面である。

いかにＥＳＧを企業と投資家に共通の価値観として確立させ、今の株主第一主義を修正させるかは、日本の将来に関わる問題だ。

ＧＰＩＦは、ＥＳＧに対して、積極的な対応を見せている。しかし、彼らは運用を外部に任せている、というビジネスモデル上の限界がある。つまり、彼らが活動できるのは企業に対してではなく、運用会社に対してなのだ。

ＧＰＩＦが採用しているＥＳＧ指数は、FTSE Blossom Japan Index、ＭＳＣＩジャパンＥＳＧセレクトリーダーズ指数、Ｓ＆Ｐ／ＪＰＸカーボンエフィシェント指数、ＭＳＣＩ日本株女性活躍指数などだ。これらはすべて海外の指数算出会社だ。ＦＴＳＥは英国、ＭＳＣＩは米国、Ｓ＆Ｐは米国の格付け会社だ。つまり、日本最大の運用会社が、日本が自ら価値を考え、自国の状況に合わせて開発した指数を使っているわけではないのだ。言い換えれば、ＧＰＩＦは、他国のＲＭ戦略に使われているだけなのだ。

GPIFは日本株だけに投資しているわけではない、いわゆる「ユニバーサル・オーナー」だ。そしてその運用額は、世界的に見ても巨額だ。したがって、より強固なリーダーシップを発揮することが可能なはずだ。しかし彼らがESG指数の採用に関して示したその方針は、「ポジティブスクリーニングであること」（化石燃料計事業の企業には投資しないなどのネガティブスクリーニングではない）「従来よりも小型株も対象に入れること」という程度だ。

もっと、各国の企業がその国の状況に合わせてどうなのか、ROEや株主利益などとSDGsの利益相反に対して、より具体的な踏み込みをすることが必要だろう。ESG投資を十分に検討せずに自社株買いに資金を回すなどの行動が、今後も果たして評価されるのだろうか。

少し専門的な話になるが、現代の基本的な企業価値（株価）算定の考え方では、次のような算式を使う。

企業価値＝A＋CF(n)＋CFn/(r－g＋p)

A＝企業の時価純資産
CF(n)＝今後、予想可能なn年間に得られるキャッシュフローの合計を現在価値に割り戻した数値
CFn＝予想可能な最終年のキャッシュフロー

資本コスト＝r
予想可能な期間以降の永久成長率＝g
リスクプレミアム＝p

注）$CF(n) = CF1/(r+1) + CF2/(r+1)^2 + CF3/(r+1)^3 + \cdots\cdots CFn/(r+1)^n$
CF1＝1年後のキャッシュフロー、CF2＝2年後のキャッシュフロー

この算式と、ROEには深い関連性がある。ROEの分子である当期純利益が上がれば、CF（キャッシュフロー）も上がる。そしてROEの分母である株主資本を自社株買いで減らせば、r（資本コスト）が下がる。だから、ROEが上がれば、企業価値も上がる、というのが現在の理論上の整合だ。したがって、ROEの議論と共に、rの算定理論は非常に細かく説明される。

ESGの主張は、このrの算定には、投資家の都合しか反映されていないのではないか、という疑問だ。確かにrの数値には、その時の金利水準と株式への期待上昇率しか考慮されていない。rの算定方法は、他のステークホルダーへのコストを包含させ、もっとダイナミックに改定すべきだろう。環境や地域、従業員への投資を軽んじてROEを高めている企業は、rをもっと高く算定すべきだ。この数値化には、様々な試行錯誤が必要だろう。また、それに比較

する利益は、ROEでは最終利益だが、より幅広い付加価値額に近いような数値のほうが妥当なはずだ。

一方で、株価算定には、長い将来にわたって、その企業が何%の利益成長を見込むことができるか、という見込み（永久成長率＝g）も大きく影響する。そこには業界全体の成長率やその企業のシェア拡大の余地などが包含されるわけだが、実際には、これを算定する正確な評価の手法は無い。しかし、日本型の利益率が低い企業でも、コスト競争力が有り、消費者からの支持が高く、商品の寿命が長い企業は多い。このような「寿命」を、企業価値に反映させる仕組みも必要だろう。寿命が長い企業の永久成長率（g）は、高く評価すべきだ。利益率が高い企業の中には、今後の参入企業が多く、その利益率が続く期間が短い企業も多く、そういった企業への比較において、前者のような企業の評価が過小になりやすい。

このように、資本コストの考え方を見直し、企業や利益率の寿命（継続性）を、株価評価にもっと正確に入れ込むことは、今後の株価評価モデルにとって重要なことだ。そしてそれができれば、現実社会において、本来の企業価値とROEがそれほど連動していないことが、証明できるはずだ。

若干専門的になったが、資本コストの算定と永久成長率の算定には、まだまだ工夫の余地があり、各国の事情によって、その算定法は変わるべきだろう。

２０２０年、世界は新型コロナウイルスの感染拡大によって、新たな経験をした。企業が株主の短期的な利益にばかり奔走すれば、緊急事態に何もできず、やがて壊滅的な影響を被ることを学んだ。そして、常に社会インフラ、社会環境の整備に注力をしておくことが、結局は企業の利益を中期的に守ることに繋がることが、現実に証明されたのだ。

6章 コロナ後の世界

1 新型コロナウイルスが3カ月で世界を変えた

地球が滅亡する映画は、わずか数週間の描写で人類を絶滅させるが、それがそれほど誇張された展開でもない、ということを、多くの人が実感したに違いない。2020年、それほど、社会の激変は短期間に進んだ。運命のいたずらか、世界中の社会に、政府に、突如として同じ、失敗が許されない課題が、与えられたのだ。

事の始まりは、前年の年の瀬、2019年12月30日のことだった。武漢市中心医院の眼科医、李文亮は、グループチャットに、ここ数日間で起きたSARSに似た重症症例の報告を発信した。患者の人数は7名、誰もが重症で、救急科への隔離をされていた。李医師はただその状況を仲間に報告したかっただけだ。しかし、このチャットのスクリーンショットが、李医師も知らない間に、グループの誰かによって、インターネット上に発信されてしまった。

これを目にした武漢市衛生健康委員会は、それを待っていたかのように、関係者を確保し、

「原因不明の肺炎に対する適切な治療についての緊急通知」を発出、情報統制を行った。1月1日、これらの情報をネットに発信した8名の医師らが処分されたが、インターネットでは、李文亮の名前が晒されており、李医師は、彼らとは別に、病院の監察課の事情聴取を受けた上、1月3日、派出所に出頭し、「訓戒書」に署名をさせられた。

このたった4日間の「小さな事件」が、新型コロナウイルスのパンデミック、世界的感染拡大へのプロローグだった。

1月6日、武漢市は原因不明の肺炎についての声明を発表した。しかしその2週間後、1月20日頃から、武漢では次々に感染者の死亡が発表され、医師への感染までも報告される。おそらくこの1月3日から20日までの間に、武漢では異常な事態が把握されていたのだろう。尋常ではない事態と見た中国政府は1月23日、突然、武漢市を封鎖する、という前代未聞の政策を採った。しかし、タイミングはすでに遅かった。多くの武漢在住の外国人、中国人は、武漢から脱出し、各地に散らばり、これによって、新型コロナウイルスは世界中へ感染拡大を起こすことになる。

1月末には中国全土の感染者数は1万人を超え、死者も100人を超えたところから、その規模は一気に拡大した。日本は1月29日、チャーター便を武漢に出し、邦人の帰国を進めることとする。一方、WHOは31日、ようやく緊急事態宣言を発表するが、すでにこの頃には世界中への感染拡大の種はまかれていた。

2月に入り、注目は、海の上に移った。英国籍の豪華客船「ダイヤモンド・プリンセス」が、日本近海を航行中に感染者を出したのだ。共同生活を営むのと変わらないクルーズ船の中で、感染は一気に広がった。2月5日、船内で10名の感染者が確認されたが、2月20日には感染者数は634人となり、検査に入った厚労省職員、内閣官房職員1名も感染した。この検査体制と船内の対応を巡り、日本の当局は海外の専門機関から不備を指摘され、窮地に陥ることになる。

しかし、ここに至っても、事態はまだ始まったばかりだったのだ。各国がダイヤモンド・プリンセスに目を奪われている間に、ウイルスは世界中へと拡散し、潜伏期間へと入っていた。

イランでは、2月半ばころから、新型コロナウイルスの感染が拡大し始めていた。イラン保険相は、2月24日、状況についての記者会見を行ったが、この場で明らかに大量の汗をかき、体調が不調とみられた副大臣が、新型コロナに感染していることがわかった。会見で政府は大規模礼拝の禁止を発表したが、この時点でイランの感染者数は61人、死者は12人。これが1週間後の3月3日には、感染者2336人、死者77人に急増し、中国に次ぐ感染地帯となる。米国と対立するイランは、経済的な面で中国への依存を強めざるを得ず、中国からの入国を禁じたのが2月27日と、武漢封鎖から1カ月以上たった頃であった。

韓国は、いつものように当初は、自国の対策が功を奏している、という自画自賛で、政権の体面を強化していた。「日本を指定感染国にすべき」、という国会議員もおり、いつも通りの反日で自慰行為をする余裕があった。しかし、2月18日時点で18人としていた感染者が1週間後の2月25日には一気に900人を超え、10人の死者が出た時点で、韓国国内は大騒ぎとなった。

感染の原因となったのは新興宗教の集会とされ、その代表者は国会で土下座をして謝罪をしたが横領など別件で捜査を受けるなど、相変わらず、国民感情に任せ、法治主義は混乱を来した。3月に入り、感染者は8000人、死者数は100人を超え、大規模な感染地帯となると、この事態を受け、文大統領は、徹底的な検査体制に乗り出した。ここから韓国社会は底力を発揮する。紆余曲折はあったものの、徹底したIT管理と、5年前のMARSの経験値を活かし、韓国は数少ない感染抑制事例の一つとなる。

そして、このパンデミック初期において、中国の次に悲劇的な経過を遂げたのが、イタリアを始めとする欧州各国だ。

イタリアは、世界で2番目の高齢者社会だ。そして、フレンドリーでスキンシップの社会でもある。その習慣をウイルスは見逃さなかった。

38歳の多国籍企業役員が最初に感染が確認されたが、彼への感染ルートは不明であった。また、2番目の感染者もまた、その経路がわからないまま、イタリアでは一気に感染が拡大した。

その感染速度は他に類を見ないほど早かった。２月21日に14人だった感染者は、２日後の23日には１５５人に、３月12日にはなんと５０００人を超えたのだ。

１カ月後の３月24日には、感染者数が６万人を超え、死者は６０００人を超えた。医療体制はほぼ崩壊し、感染者は感染から10日ほどで亡くなるという、他では見られない状況に陥った。もちろん、この状況は欧州の主要各国にも拡大した。

この時点で、スペインは感染者数３万５０００人、死者数２３００人、フランスで感染者数２万人、死者数８６０人、感染抑制に成功したと言われるドイツでも感染者数２万９０００人、死者１２３人に、海を隔てたイギリスでさえ、感染者数は６０００人を超え、死者数も３００人を超えた。

３月13日、ＷＨＯのテドロス事務局長は、「欧州が感染の中心地だ」と発言するに至った。欧州各国では飲食店の営業はほぼ停止し、外出や移動も制限され始めた。市街地から人影が消え、大規模なシャッター街が、そこに出現した。まさにこの世の終わりの様相を呈したのだった。

世界中で、様々な人々が「コロナ後の世界」という言葉を使うようになった。つまり、世界は変わるのだ、と世界中が感じ始めていたのだ。その理由は、この大惨事の舞台が、欧州から世界最強の国、米国に移ったことによる。

米国ＣＤＣ（米疾病予防センター）は、世界のリーダーとしての自負からか、中国の政策、日本のダイヤモンド・プリンセスへの対応に批判的な発言を繰り返してきた。しかし彼らには、プライドがズタズタに引き裂かれるような試練が待ち受けていた。

２月末時点では感染者が62人、死者は誰もいなかった米国だが、３月３日に初めての死者を出すと、堰が切れたように死者、感染者数は急増した。２週間後の３月14日に感染者数は１６８１人、死者は41人となると、20日には感染者数が１万人を超え、死者は１５０人と急増した。

感染の急拡大に、カリフォルニア州、フロリダ州が非常事態宣言をすると、３月７日にはＮＹ州も非常事態宣言を発した。各州の学校は閉鎖になり、ＮＢＡのバスケットの試合も中止となった。こういった動きを受け、トランプ大統領は３月13日、国家非常事態宣言に踏み切った。

それでも米国での感染者は増え続けるばかりだった。17日にはサンフランシスコ市が屋内退避命令を決定し、国務省は、３月19日、米国民に対し、全海外地域への渡航を中止するよう勧告を出した。

大統領選を控えるトランプ大統領は、「これは戦争である」と述べ、国家的な団結を促したが、３月26日、米国での感染者数は８万２４０４人、死者は１１７８人に達し、世界最多の感染者数を出す国となる。その後、感染者数、死者数共に倍々ゲームで増加し、やがて１万５０００人を超える死者を出したＮＹのクオモ知事は、検体検査を行い、「いまやＮＹの

7人に1人が、感染者となってしまった」と悲痛な会見を行った。

4月半ばには、米国での感染者数は63万人、世界中の感染者数は200万人となり、さらに3カ月後の7月中旬には、感染者数は米国で400万人、世界では1500万人を超え、9月末にはついに米国では700万人、世界では3300万人を超えた。

世界中で、感染抑制と経済復興という、相反した課題を巡る対立が表面化し、大規模デモが行われた。欧州では、経済復興を試行する最中に、感染拡大が顕著となり、各国政府は、かつてない政策判断を迫られたりもした。そして、そうした中、ついに大統領選挙を目前にしたトランプ大統領までもが、新型コロナウイルスに感染してしまうことになる。


新型コロナウイルスは、世界にほぼ同時に同じ課題を与えた。地球上のリンクされたそれぞれの社会に、感染症を投下したのだ。それは地球が人類に課した課題のようにも思える。

そして、この課題によってわかったことがいくつかある。

その一つは、WHOもCDCも、感染症拡大阻止に関する世界共通のグローバルスタンダードを持っていない、ということだ。彼らは、他国の批判はしたが、自ら感染防止案を提示すらしようとしなかった。

欧米の多くの国で、都市封鎖、すなわちロックダウンという政策が採られたが、一方で、スウェーデンは「集団免疫獲得戦略」を採り、日本はその中間的な政策を採った。このことにより、ロックダウンを行った米国の専門家から、日本やスウェーデンが、後に大変なことになるだろう、と予言された。「ロックダウン戦略」と「集団免疫戦略」は正反対の戦略であり、どちらがより良い結末を迎えるのか、その判断は難しい。しかし、ロックダウンを実行した国は、国民、市民に大きな犠牲を強いている。もしこの手法が違っている、ということになれば、下手をすれば政治的な問題になりかねない。それが、ロックダウンを行っていない国への批判の言葉となったのだ。

もう一つは、結局、社会風土や法律が異なるそれぞれの国や地域で、それぞれの策を練って感染対策を実施することだけが、これを解決する唯一の方法だ、ということだ。

前述したように、「ロックダウン」か「集団免疫」か、という基本戦略の違い以外にも、各国によって、新型コロナに対する対策は異なった。

中国は当初は情報操作に走ったが、予告も無く強権を発揮し、社会をコントロールした。ドイツは、州によっては外出禁止となったが、罰則も州ごとに有無の違いがあるにもかかわらず、秩序が守られ、医療機関が麻痺することはなく、事態は推移した。韓国や台湾では、国民は団結し、ＩＴを活かすなど、徹底した社会管理によって、事態をコントロールした。さらに、スウェーデンでは、前述したように、緩やかな規制しか行われず、国民の倫理観にほぼ委ねる、「集団免疫戦略」が採られた。イギリスも当初、同じ戦略を取ろうとするが、途中から方向転換し、ロックダウン方式とした。このイギリス、フランス、スペイン、イタリアなどでは外出禁止と同時に、違反者には罰金等の処罰が下される、という最も厳しい処置が採られた。

米国では、原則外出禁止で、かなり厳しい非常事態宣言が出されたが、罰金は無い。日本は、そもそも自粛要請のみで、何の強制力も発揮されていない。

このように、その国の法律や社会の性質、経済状況などによって、結局、採れる政策は違った。国同士で、その政策に対する批判がマスコミの間では行われたが、それも意味が無いことだ。実際に日本がフランスと同じ政策が採れるかというと、それは無理なのだ。法律が違い、社会ができた経緯、つまり歴史が違う社会で、同じ措置を取っても有効性は担保できないのだ。

②コロナ後の世界、グローバルスタンダードはこう変わる

本書は、そろそろ結論へ向かうべきだろう。ここまで紹介してきた歴史や理論構成などから、今、世界は大きく変わるべき転換期にあるだろうことは、ご理解いただけたと思う。では、今後、本書のテーマである「グローバルスタンダード」とその主導権争いとしての「RM戦争」は、どのように変わっていくのだろうか。その変化は、取りも直さず、世界の勢力争いの構図が大きく変わることを意味する。

コロナ後の世界では、次の三つの大きな変化が出現すると考えられる。

一つは、中国が国際機関と連携してＲＭ戦略を進め、それに対し、米国が中国の戦略阻止に注力する、という構図になるだろうこと。このことは世界の構図を大きく変える可能性がある。

中国はいよいよ本気で資本主義社会に風穴をあけようとしてくるのだ。

二つ目は、自国主義の傾向が強まるだろうこと。米国が作ったグローバルスタンダードはその影響力を弱めていく。日本はこの動きに乗らなくてはならない。これは、米国主導のルールの中で、日本にとって良くないものを排除する良い機会だからだ。日本のような、法的にも定性的にも「特殊な」国には、自国中心主義が最も合っているはずだ。

三つ目は、グローバルスタンダードにおいては今後、「抽象化」と「科学化」の二つの方向性が明確となるだろう、ということだ。

この三つの変化が、環境問題、新型コロナウイルス感染拡大、という出来事を通して起こると思われる。

順に、説明を加えていこう。

コロナ禍を巡る中国と米国の舌戦は、なんらかの形を伴うことになるだろう。コロナ禍の原因を作った国としての責任を問われたくない中国は、ＷＨＯなどへの影響力を駆使し、中国流ＲＭ戦略を強化することになりそうだ。中国は、自国のコロナ対策を正当化し、感染症拡大に関する初期のデータを持つことの優位性を、最大に生かそうとすると思われる。また、国際機関を構成する新興国へ多大な投資をする中国は、コロナ禍で被害を受けた国に、AIIBを使った経済再建を申し出るとともに、重要な国際機関へ影響力を行使し、このようなRM戦略を、有利に進めることが可能だ。

これが現実になれば、米国は、中国・国際機関を糾弾するだろう。2020年4月、トランプ大統領は、コロナ禍に関連し、WHOへの資金拠出を停止する発表を行ったが、中国はその減額分を補填する用意をした。このような展開は、より規模を大きくして続くだろう。バイデン政権下では、米国はWHOへのコミットを強めるだろうが、そうなればなるほど、米国は、国連の、より大きな組織に対しても中国の影響力や恣意的な判断を指摘し、糾弾すると思われる。その結果、米国（＋日欧）vs国連＋中国、という対立軸が作られるかもしれない。

このように、米国は自らRM戦略を進める立場から、一転、中国のRM戦略を潰す、という立場に変わるだろう。その一方で、米国のRM戦略は、西側の友好国の一部には、逆に強化され、そこからの利益には執着するだろう。例えば、米国企業のM＆Aを進めるため、日本に対するROE戦略、株主還元推進政策は強まるかもしれない。日本は、米国にとって対中国の重要な壁となり得る戦略的な国だからだ。

しかし欧州はもはや米国の戦略には乗らないだろう。欧州は新型コロナ感染拡大を受け、再度、その結束力が試されている。経済状態だけを考えれば、米国と中国の協力を仰がなければ、経済再建は難しいだろう。しかし、この両国のどちらの味方もしたくない欧州は、新型コロナの被害が少なかったドイツを中心に、新たな結束を図るのではないだろうか。ドイツは環境問題に続き、コロナ禍においても、欧州の見本となった。今後、欧州のルールマネジメントをリードするのはドイツであり、欧州は米中のどちらにも与さない、独自のスタンダードを域内で構築する社会となりそうだ。

特に今後、欧州にその解決を求められる大きな課題がある。それは、「人権」だ。21世紀序盤は、改めて「人権」についてのグローバルスタンダードが求められる時代になるだろう。そして、この課題は、欧州復権の一つのカギとなり得る。

「人権」についての考え方が、世界と大きく異なる中国は、いまや大国となり、世界トップクラスの人口と経済規模を持っている。しかし、香港やウイグル自治区の問題を緩和し、「人権」に対する価値観を世界中が一定程度合わせることは、環境問題と共に、世界に共通の、大きな課題であり、中国にとっての最大の弱点だ。

そして、中国経済は、「人権」に制限を加えることで、進歩させてきた歴史がある。つまり、中国に「人権」という足かせをはめれば、少なくとも一定程度、その経済的な躍進は足止めされるだろう。そしてそれは「必要な」足止めなのだ。

このことは、いわゆる西側諸国にとって、中国のRM戦略に対抗する一つの武器となり得る。

一方、「人権」というRM戦略は、米国が最も採りづらい戦略の一つだ。それは米国が、「人種差別」という、大きな社会問題を抱えているからだ。とはいえ、米国は、このテーマから逃げることはできない。独立して250年が近くなり、米国はそろそろこの問題にケリをつけるべき時だろう。

今後、中国に次いでインド、そしてアフリカ諸国の経済成長が始まる。その中で、「人権」に対するグローバルスタンダードが、より強く求められるようになるのは当然だろう。今は、世界中で「人権」についてのスタンダードが語られる前夜であり、その主要な役割を演じることができるのは、欧州だ。そして、日本はこの戦略においてぜひ、彼らと手を組んで欲しい。

二つ目は、世界中が、今後さらに自国主義への傾倒を続けるであろうことだ。日本の当局や企業はこの情勢を正確に把握することが重要だ。もはや他国は自国主義に走り、このような米国のRM戦略に乗らなくなる傾向が強まるだろう。つまり、米国のリーダーシップは大きく低下する。

その中で、日本だけが米国のルールに取り込まれた状態を続ければ、日本経済の衰退には、拍車が掛かるだろう。気が付けば、もはや世界にはグローバルスタンダードなどはわずかしか存在せず、米国の戦略だけが日本に多々残っている、という状況が、出現するかもしれないのだ。

日本は、米国にとっては、対中国の壁としての役割を期待されている。もし、私が我が国の政策立案をするなら、その役割を積極的に果たすことをホワイトハウスと約束する一方で、日本の経済や株式市場についての分析結果を提示し、独自のシステム構築（市場区分や開示ルールの見直し、スチュワードシップ・コード、ガバナンス・コードの修正など）を行う（次項を参照）ことで、株式市場がより日本の経済成長につながるような在り方に変えていくことを宣言するだろう。これは、日本が米国のＲＭ戦略から独立することを意味する。安倍内閣は２０２０年退陣し、新たな世界戦略が、日本には求められている。これは、日本の対外戦略の基本を見直す為には、またとないチャンスであるはずだ。

一方で、中国の日本に対する誘惑は、増大するだろう。中国が、様々な中国流のルールを日本や韓国に広めようとする可能性はある。そして、中国の対日戦略の要諦は、香港にある。日本社会が中国のルールなどを素直に受け入れるには、社会体制が違い過ぎる。しかし、香港という国際的な貿易地域から日本に文化やルールを輸出するのであれば、それは現実味が出てくる。香港市民が中国本土に抵抗感が強い状況下では無理だが、やがてこれが収まれば、香港は中国と日本の懸け橋となるだろう。

中国は、日本に香港経由で様々なルール（ＡＩＩＢへの参加や、ＡＩＩＢを使ったアジア経済機関への設立、アジア流の企業ガバナンスルールの策定、国連機関の権限強化や国連中心主義など）について同意を求め、その引き換えに、中国市場の開放や、先端技術・雄安新区などへの進出を提示されるかもしれない。

中国や香港の人は、日本に会社や不動産を持つことに非常な意欲がある。香港に行けば、不動産屋の窓には、日本の新宿とか池袋の不動産物件が貼ってあるのだ。中国では私有財産の保有は制限されている。個人にとって、純粋に不動産を「所有」することは、かれらの抑圧されてきた所有欲を開放する大きな動機になる。中国本土人にとっても香港人にとっても、日本社会への強い進出意欲が、常にあるのだ。

日本は、経済政策において、これまで通りの米国追従を脱すると同時に、中国の戦略を逆手にとり日本流のM＆Aや経済振興策を、中国と共にアジア欧州へ提供すべきかもしれない。そこで日本が重視すべきなのは、あくまで各国の実情に合わせた投資・技術指導だ。投資はあくまで黒子であるべきで、グローバルスタンダードを強要するツールにしてはならない。

いずれにしても重要なことは、米中のいずれにも取り込まれずに、必要な協力はするが、日本国内の政策についてあくまでも自国で作ったルール運営をすべきだということだ。

また、「コロナ後の世界」において、医療体制の再構築、ＧＰＳなどモバイルとプライバシーの問題、通信環境の充実化と整備、テレビ会議などによる会議やイベントの運営という四つの点については、各国において、社会の実相に合った在り方の変化が求められるはずだ。新型コロナウイルスに対するワクチンが出来たとしても、次なるウイルスがいつまた襲ってくるか、わからないのだ。社会の在り方は、今回の事件を機に、大きく変わるだろう。これら四つの要素については、それぞれの社会において、かなりの速度で変革が進むはずで、日本でも、早期に自国なりのスタンダードを作り上げることが大事だ。

三つ目に指摘したいのは、今後、RM戦略的なグローバルスタンダードは衰退し、世界が本当に必要とする、「最大公約数的な人類の共通目標」と、「科学的根拠を十分に持ったこと」こそが、グローバルスタンダードとなるだろう、ということだ。

最大公約数的な目標とは、基本的な価値観の共有を意味する。例えば、2015年に国連サミットで採択されたSDGs（持続可能な開発目標）などがそれに当たる。このような価値観は、どの国も共有しなくてはならないだろう。これからは、グローバルスタンダードを作り、支えるのは、資本ではなく、科学だ。

そして、その価値観を共有するための手法には、「国際的に認められた科学的な根拠」が必要だ。例えば、気候変動を緩和するには、温室効果ガスの排出量削減が必要であり、それにはフロンへの規制や、化石燃料の利用削減が必要だ、という科学的な因果関係は、国際的な合意を伴うグローバルスタンダードだと言える。

今後、グローバルスタンダードの存在が要請される事象は、このような価値観の共有と、科学的根拠を伴うものに絞られていくだろう。また、そのような事象へのグローバルな研究と対策は科学的に進むに違いない。それが、コロナ禍を経験した世界の需要だからだ。

例えば、コロナ禍を通じて、今後、各国の衛生管理には、グローバルスタンダードが求められる動きが強まりそうだ。米国は、「世界の安全」という正当に見える動機を掲げ、中国に対して、欧米流の安全衛生対策基準をオープンな形で要求するだろう。このような動きは、実はコロナ禍の前から、日本にも出現している。

日本では厚労省が、2019年に改正食品衛生法を施行し、2021年6月までに飲食関連事業者に、HACCP（食品の安全衛生を管理する工程の認証制度）、またはそれに準ずる衛生管理の仕組みを構築することを義務付けた。このHACCPという規格は、元はNASAで生まれた米国基準の衛生管理システムだが、すでに世界のほとんどの先進国でこの規格は義務化されており、日本は後進国扱いをされている。この分野で、米国は、すでにこれをグローバルスタンダードにすることに成功しているのだ。

東京五輪を前に、そのキャッチアップに迫られた厚生労働省は、HACCPを簡素化した適合性基準を設け、中小事業者にはこれを取得するよう、業種別のマニュアルを、各業界に用意させた。はたして、この「HACCP簡易版」で、日本が海外に向けて衛生管理が出来ていることを訴えることができるか否かは微妙だが、遅まきながら、衛生管理における国際基準への対応を、日本は志向している。

衛生先進国のカナダやオーストラリアでは、このシステムを開発した米国自身よりも早く、1992年から、順次、HACCPが義務化されていった。続いて1997年からは米国が、そしてその後2003年には台湾、2006年にはEUが、このHACCPの義務化を進めた。

一方中国も、中国版HACCPを2005年から導入し、国際的な流れに乗ろうとしたが、この中国版HACCPは他国や米国のHACCPとの整合性が認められていない。米国は今後も、中国版HACCPを認めない（なかなか他のHACCPとの相互認証を認めない）可能性がある。この新型コロナウイルスを巡る事件を契機に、中国にも、より厳格な衛生管理体制を要求することが考えられるからだ。

衛生や環境を巡るグローバルスタンダードは、今後、より科学的な要素を重視し、各国の事情を考慮した上で、作り直されていく可能性がある。HACCPは、「管理」マニュアルなので、科学的な定義を決めるものではない。しかし、その仕組みの中で行われる「危害要因分析」の管理は、最終的には科学的な処理に行きつくことになる。例えば、なんらかの薬品や処理方法が、菌から食品を守る、とされた場合に、その使い方を、ルール化し、マニュアル化することには科学的な根拠が必要であり、手順としても重要になるからだ。このように、マネジメントシステムと、サイエンスが組み合わされて、初めて「環境保護」や「衛生管理」は可能となる。

つまり、今後重要なＲＭ（ルールマネジメント）は、「マネジメント＋サイエンス」という形を取ることが重要となるだろう。

そうなれば、「環境保護」を科学的にリードする組織、「衛生管理」を科学的にリードする組織が、主導権を取り、その組織をコントロールできる国が、ＲＭ戦争を優位に進めるだろう。例えば、債券格付けで強力な力を発揮した「格付け機関」に代わって、衛生管理においては、「ＣＤＣ（米国疾病予防管理センター）」が主導権を取るかもしれない。しかし、債券価値分析のようなブラックボックスがあるものと異なるのは、「環境」や「衛生」の場合は、より科学的に優れた成果を出す研究所があれば、その主導権はすんなりそこへ移ってしまうかもしれない、ということだ。ひょっとすると、次のグローバルスタンダードの担い手は、ＣＤＣではなく、新宿の国立感染症研究所かもしれないのだ。

「平和」を主眼として理想的なことを言えば、環境や衛生分野の研究や科学的バックボーンは、国際機関の中に作ることが一番良い。そうなれば、どの国も、ＲＭ戦略のネタとしてこれを使うことは出来なくなるからだ。

しかし、別の見方もできる。各国の研究機関は、自国のメリットがあるからこそ、そこに成果が生まれるのかもしれない、ということだ。戦争が科学を進歩させたように、ＲＭ戦争が、科学を進め、最終的に地球や人類を救うことになるのかもしれない。残念なことだが、国際機関の「理想の力」よりも、各研究所の「功名心」のほうが、成果が出やすいのだろうか。このような「必要な」グローバルスタンダード構築の仕組みを、今後の国際機関は考えなくてはならない。

③日本の株式市場、その改革と復活への道

株主第一主義に修正の流れが生じ始めた今こそ、日本の株式市場は、米国流理論や機関投資家の利便に合わせた改革ではなく、独自に日本経済社会の特性を十分に検証した、きちんと理論構成をした改革を実行すべきだ。

そして、世界もまた、それに期待をしている。

２０２０年1月、前述した世界最大の投資ファンドの一つ、ブラックロックが、気候変動への対応を求める投資家団体、「Climate Action 100+」に参加を発表した。ブラックロックは、実に7兆ドルを運用する、まさに世界最大級の機関投資家だ。ブラックロックのこの行動は、世界中の企業を、ＥＳＧへの対応を真剣に考えさせる方向へ向かせた。

前述したように、ブラックロックのラリー・フィンク会長は、２０１7年の時点ですでに、株主利益最優先の傾向に警告を発していた。従業員の幸福への投資を勧め、安易な株主還元を支持しない旨を表明していたのだ。そして、年々、その思いは強くなっているようで、２０２０年には、「新たな資本主義」を目指す考えを明確にしており、日経新聞とのインタ

ビューでは、そのことが日本式の思考とも合致するだろう、という発言もしている。この言葉は、とりもなおさず、日本が今の行き過ぎた株主優先のルールをマネジメントし、変革をリードすべきではないか、という提言のように聞こえる。

彼の考えを進めれば、一旦、投資家は今のような株主第一主義の「恩恵」を受けられなくなるかもしれない。多くのステークホルダーの利益を守るということは、それらステークホルダーの発言権が強まることを意味し、現在それを独占している投資家たちは相対的にその地位を弱めることが、自然だと言えるからだ。しかし、それが結局は中期的な投資家の利益を守ることになる、というのが、冷静な資本家たちの考えであり、新たな資本の理論にもつながるだろう。

日本の株式市場に関わる人は、日本社会の独自性を理論化し、資本コストの考え方に反映させるべきだろう。ＥＳＧ投資の非財務情報を数値化することも、不可能ではないはずだ。これまでのように、単に米国流の資本コストの考え方を日本企業に強制すれば、それは日本経済に害をなすだけだ。

しかし残念ながら、財務省や東証が、そのようなアグレッシブな考えを持っているとは思えない。東証は株式市場の改革を進めているが、それは東証1部の窓口を広げ過ぎたことに対する反省と、２部、マザーズ、ジャスダックといった新興市場の重複を整理するという、小手先の策が、その趣旨となっている。

財務省や東証は、企業と生活者、そして国家が共栄できるようなシステムを作るため、海外の物まねを止めて、もっと根本的な改革案を出さなくてはならない。そうでなければ、海外のルールマネジメント戦略から我が国を守り、日本の経済を活性化することなどできないからだ。

いまやアジア経済は、全世界の4割を占めるに至ったが、株式市場の時価総額では2割程度だ。この伸びしろは大きいが、日本は香港やシンガポールに比べ、市場の国際化が遅れている。資本主義国の一員となってからの実績から考えると、この遅れは残念だ。そして、いますぐに挽回を図らなくてはならない重要な課題であるはずだ。

証券市場、取引所の改革は、外圧と関係なくできる作業であり、米欧のルールマネジメント戦略から独立して政策が行うことができる、貴重な場だ。米国が株主利益偏重の国であったとしても、それは米国国内でやればよい話であり、我が国にその価値観を強要する権利は無い。証券取引所においては、株主や投資家保護だけが仕事ではないはずだ。投資家保護第一を念じるのは、20世紀までの考え方だ。彼らが取り扱っている上場企業の成長に資することは、言い換えれば、そのステークホルダーである従業員や地域、取引先が享受すべき利益を総合的に分析し、証券政策を決めなくてはならないということだ。

取引所は、まず日本の経済構造を理解し、海外・海外投資家に対して、それを宣伝する役割を担うべきだ。その啓蒙を行う具体的な手法として、市場構造とは別に、開示基準・管理手法を銘柄のタイプ別に変えるのはどうだろうか。売買する市場とは別に、東証や金融庁による管理指標・開示ルールを、企業区分によって変えるのだ。

資本コストの観点から見ても、各企業の公共性や地域特性、業界特性によって、本質的な資本コストは、実は異なっている。なぜなら、投資家・株主側の事情によって、期待値（＝資本コスト）は大きく異なるからだ。現在の理論では、βなどを使い、1銘柄が発行するすべての株式は、共通なコストを持つ、ことを前提として説明しようとするが、それは重要な誤謬を含んでいる。株主の中には、そもそも株価上昇や配当金をそれほど期待していない投資家が多く混ざっているからだ。政府保有株式や、提携先による政策保有株式、役員保有株式が、それに当たる。また、一般の投資家であっても、本当に値上がりや配当金だけを期待して株式を保有しているのだろうか。日本には株主優待制度、という特有なものがある。これ一つの例をとっただけで、米国流の資本コストの理論は、我が国では成立しない、理論的な誤謬にぶつかっている。

私案だが、上場企業は、次の五つに細分化し、それぞれで異なる指針を与えるべきだろう。

公的銘柄
成長銘柄

安定銘柄
国際銘柄
地方銘柄

「公的銘柄」には、「公共性が大きい企業」、または「国の機関が大株主である企業」、「軍事目的に利用できる技術を持つ企業」を集め、株主構成を常にチェックする必要がある。その理由としては、国の安全保障が第一だが、その他にも大きく二つある。

一つは、そのような企業には今でも外国人の持ち株比率に規制がある、ということだ。これらの企業は、航空法、放送法、電波法、日本電信電話法により、外国人株式保有規制がされており、市場を明確に分けた方が、管理をしやすい。もう一つの理由は、国はそもそも株主として通常の株主利益を追求する主体ではなく、そのような例外的な株主を持つ企業が、一般的な市場で他の銘柄と同様の理論の下、同じように売買されるべきではない、ということだ。国の株式に対する期待収益率が、他の株主と同様である、というのは理論的に破綻した考えであることは、明らかだろう。誰もがそれを分かっているにもかかわらず、理論的な修正に日本の研究者が着手しないのは、問題だ。

次に、「成長銘柄」には、株主還元を規制すべき企業を集めるべきだ。現状でも配当可能利益を持たない企業は株主還元が出来ないが、それだけではなく、自社の成長性を高く設定した中期計画を持つ企業は、中請手続き等を踏まなければ自社株買いをしてはいけない、とすべきだろう。私としては、この「成長銘柄」は、4半期開示をやめ、開示を年2回とする代わりに、中期経営計画の発表を義務化すべきと考える。上場企業は、継続的な存在を前提とする限り、中期的な計画を持つべきだからだ。企業価値の算定には、四半期の数値ではなく、中期的な数値が必要であることは、誰でも知っている。そして、企業はその達成の為の行動を第一目標とし、そのための設備投資や採用、Ｍ＆Ａを優先すべきである。それでもさらに資金的な余裕がある場合にのみ、自社株買いなどを行うのが、正しい在り方だろう。この銘柄群には、成長性が高い企業が集まり、投資妙味もある。安易な株主還元が無い代わりに、洗練された投資計画を持つ企業だ。

「安定銘柄」は、成熟し、高い成長率が見込めない企業だ。ここには歴史のある企業が集まるだろう。株主還元は一定のルールの下に行われるが、ＥＳＧ投資に耐える要素をクリアすることが厳しく要請される。そのほかは、これまで同様の規制の中で行われる。公共セクターが株主にはいないものの、社会貢献度が高い銘柄がそろうので、この市場へ投資する投資主体には、税率軽減などのメリットを与えることが望ましい。

「国際銘柄」には、売上の大部分を海外で稼ぐような国際企業を集める。この市場では、その運営ルールは海外のものが適用される。今のようにＲＯＥなどで騒がれるのは、この市場だ。

そして、もう一つ重要な施策は、地方再生の為の上場企業の再構築だ。地方性が高い銘柄は、その地方関連指定制度をつくり、売買等、市場運営上で生じる収益の一部を、その地方へ分配すべきだろう。また、売買機能もまた、地方の主要都市に移しても良い。新型コロナウイルスの感染拡大は、東京や大阪といった大都市の欠点を浮き彫りにした。今後、地方への権限分散や地方都市・地方経済の育成は、もはや急務となったのだ。株式においても、東京市場への一極集中は、多大なリスクを背負うことになりかねない。２０２０年に起きた、株式市場のシステムトラブルは、そのリスクをひしひしと感じさせる出来事であった。

また、運用会社、投資家が、地方経済からの情報をリアルに取得する仕組みも必要だろう。地方企業がＩＲ活動を行う場合、どうしても東京での機関投資家回りを行わずにおれない。しかし、ただでさえ人手不足の地方上場企業が、数日にわたり経営陣が地元を留守にするには、結構な用意が必要だ。

これらの改革を行うと同時に、東証は、機関投資家に対し、一定のガイダンスを行うべきだ。そこでは、日本経済・法律が欧米、中国と異なる点を分析し、説明することが重要だ。他国の評価基準を安易に適用せず、東証が推奨する日本企業の評価にあった手法での分析を要請したい。また、ＩＲ活動中の企業に対し、株主還元の強要をしないこと、を確約させるべきだろう。

次に、ガバナンス強化は、どのような仕組みで担保すればよいか。これこそが、投資家と監査役、監査等委員の役割だ。結論から言えば、監査役、監査等委員は、ＩＲの現場に出てくるべきだろう。人材不足の現状では、現在の監査役や監査等委員の多くは弁護士や会計士が務めているが、この分野こそ、証券アナリストやガバナンスの専門資格を設け、人材教育を行うべきだろう。その点で、第3章－1で紹介した、英国におけるPro-Nedのような仕組みは参考になる。ここで、機関投資家と対等以上の資本の理論、統治理論を身に付けた者が、社外役員として企業に出るべきだ。

ＩＲの現場において、ワンオンワン（機関投資家との1対1の対話）では、社長が経営戦略について語り、その後、社長がいない場面を作り、そこで投資家とガバナンスの有効性について、監査役・監査等委員が対話をすべきではないか。監査役や監査等委員の多くは独立性が有り、専門性があるので、機関投資家との対話が深くなる。これを実施して、初めてスチュワードシップ・コードやコーポレートガバナンス・コードは有効性を持つだろう。

これまでのスチュワードシップ・コードの運用上では、投資家と社長あるいは財務担当役員が話をしてきたが、正直に言えば、急成長する企業の財務担当役員は、それほど証券理論やガバナンスに詳しくない場合が多い。まして社長は尚更、というケースが多いだろう。このような情報の非対称性が強いエンゲージメントでは、正直言って効果が薄いと言える。今の仕組みでは、立場的にも専門的にも優位に立つ機関投資家側の知恵と善意に、すべてがかかっており、あまりにもリスクが高い状況だ。

それよりは、機関投資家と同等以上の対話ができる監査役・監査等委員との対話が、より深い議論ができるだろう。そしてそのことが、機関投資家の倫理を高位に保ち、レベルを上げることにもなる。

まずはGPIFあたりが、監査役とのミーティングを幅広く要請するなど、積極的な行動を起こすべきだ。またそのことで初めて監査役会や監査等委員会もまた、その機能を有効にするだろう。

また、さらに重要なことは、社外役員の報酬をどこが出すか、あるいは誰が決定するか、という問題だ。現在の制度では、表向きは監査等委員の報酬は監査等委員会が決めることが出来るが、実際にはやはり、代表取締役などの意見や考えが反映されることが多い。あるいは、問題のある企業ほど、業績が悪く、監査報酬などが低くなることで、人材確保は難しくなっている。この点はガバナンスの根本的かつ大きな問題だ。例えば、Pro-Nedのような組織に上場企業が規模によって定額を支払う制度を作れば、社外役員の報酬額は、Pro-Nedが決めて支払う、という制度を構築することができる。企業のガバナンスを本当に充実させるなら、このような改革が、必ず必要になるだろう。

そして、私たちにはもう一つ重要な仕事がある。それは、東証や日本の投資家グループ、証券会社、任意団体などが、日本企業に投資する場合のROEに代わる指標を開発し、国際的に発信する、ということだ。それはいま世界で進むESG投資に近い考え方、様々なステークホルダーを意識したものが良いだろう。世界各国の社会事情を考慮し、その差異を認識・調整した上でのポートフォリオ理論や資本コストの理論は、まさに国際的な投資会社が挑戦すべき分野であり、今後、投資分野でノーベル賞を狙えるテーマだ。ぜひこの分野を、日本人投資家で開拓してほしい。

これらの大改革は、日本経済を、欧米のルールマネジメント戦略、経済戦略から守る一つの案だと私は信じている。まずは、専門家たちが、作られたグローバルスタンダードにしばられずに、より広い視野で目を見開くことが重要だ。

今、環境問題とコロナ禍を経験した世界経済は、これまでの欧米によるRM戦略上の「仮の」グローバルスタンダードから脱却し、本当のグローバルスタンダード作りへと動き出そうとしている。

日本は、原子爆弾を経験し、RM戦争の犠牲も経験した。みずから世界をリードするほどの政治家の人的資本は無いかもしれないが、少なくとも自国を独自の理論で守ることはできる。

米中の争いはまだまだ続くだろう。中国がここ数十年で米国に代わって世界のリーダーとなる、と見込む意見は多いが、世界はそれほど甘くはない。姿形を変え、RM戦争はまだまだ続く可能性は高い。しかし我が国は、その争いを余所に、「確固たる自国」を持ち、ルールは自ら決め、運用していきたいものだ。そうした姿勢が、「コロナ後の日本」を、静かなる大国へ押し上げていくだろう。

私たちは、そうした未来を子供たちに残してやるべきではないだろうか。

ルールマネジメントを巡る主な出来事

年月日	事項
1945年8月	終戦
1947年	ロンドンでISO設立
	米国ストライク調査団、日本占領方針の転換
	GATT設立採択決議・ジュネーブ多角的貿易交渉
1948年1月	米国ロイヤル演説で、日本を共産主義国の防壁に
1948年3月	ハバナ憲章によりITO（国際貿易機関）設立決議
1948年6月	ベルリン封鎖
1949年	ドイツ東西分断
	1ドル＝360円で固定
	アヌシー多角的貿易交渉
	日本、工業標準化法制定、JIS（日本工業規格）誕生
1950年	トーキー多角的貿易交渉
1952年	日本、ISO加盟
1955年	日本、GATT加盟
1956年	ジュネーブ多角的貿易交渉
1960年	ディロンラウンド
1964年	ケネディラウンド
1965年	ベトナム戦争開始
1968年1月	テト攻勢によりサイゴン陥落
1969年	米軍、ベトナム撤退
1971年5月	西ドイツマルク、変動相場に
1971年6月	日本、総合対外経済対策8項目発表
1971年8月15日	ニクソンショック
1971年12月17日	スミソニアン合意、1ドル＝308円に
1972年	沖縄返還

1973年３月19日	為替が変動相場に移行
	東京ラウンド
1975年	米国で公認格付け機関（NRSRO）設立
1978年	牛肉オレンジ第一次交渉
1980年	全米自動車労組がITCに通商法201条適用申請
1981年	自動車の対米自主輸出規制
1983年	牛肉オレンジ第二次交渉
1985年	ラマナサン論文（温室効果ガス）
	ウィーン条約（オゾン層保護）
1985年９月22日	プラザ合意
1986年	ウルグアイラウンド
1987年	タテホショック（債券先物による巨額損失）
	ISO9001制定
	モントリオール議定書（オゾン層）
1989年	バーゼル条約（有害物質の国境移動）
1989年12月	三重野日銀総裁就任
1990年	公定歩合を3.75％から６％へ３回引上げ
1991年	証券界損失補てん事件
1991年12月	ゴルバチョフ大統領辞任
1992年	気候変動枠組条約
1995年	WTO発足
1996年	ISO14001制定
1997年	京都議定書（温室効果ガス削減目標設定）
	ソニーが初の執行役員制度採用
	アジア通貨危機
1997年11月６日	ムーディーズ、山一證券格付けを下方修正
1997年11月14日	山一證券廃業
1998年	ロシア通貨危機

1999年	ブラジル通貨危機
2000年3月	日本企業にキャッシュフロー計算書義務付け
2001年9月11日	米国同時多発テロ
2001年10月17日	エンロン事件発覚
2002年	ヨハネスブルグ宣言（持続可能な開発）
2002年5月	日本国債格下げ
2002年7月	ワールドコム事件
	SOX法制定
2003年4月	日本で、委員会等設置会社導入
	野村證券、いすゞ自動車でMSCB発行
2004年	西武鉄道事件
2005年	カネボウ事件
	EUで、IFRS強制適用開始
	ライブドア、MSCB発行
2006年1月	ライブドアに強制捜査
	米国で、格付け機関改革法採択、海外格付け機関登録可能に
2006年4月	国連責任投資原則（PRI）発表
2006年6月	J-SOX制定
2006年7月	欧州委員会、SOX法導入を否決
2007年	日本でMSCB規制
2007年7月	サブプライムローンにムーディーズ、S&P格下げ
2008年9月15日	リーマンブラザーズ破綻
2008年11月	ワシントンサミット
2009年4月	ロンドンサミット「単一で高品質な国際会計基準」を
2009年	米国、IFRSの段階的採用
	日本で大規模第三者割当増資への規制開始
2010年	日本初のライツ・オファリング（タカラレーベン）

	公募増資インサイダー事件
2010年３月	日本、IFRS基準採用
2010年７月	英国、スチュワードシップ・コード提唱
2011年	S&Pが米国債を引き下げ、米国政府は反撃
2013年６月14日	アベノミクス「日本再興戦略」、伊藤レポート
2014年	スチュワードシップ、コーポレートガバナンス両コード採用
2015年７月	三菱重工、ROE重視を打ち出す
2015年	東芝粉飾事件
2015年５月	指名委員会等設置会社、監査等委員会設置会社導入
2015年７月	中国、2030年までの温室効果ガス削減目標発表
2015年12月	パリ協定（温室効果ガス削減目標）
	中国AIIBで環境保護ファンド発表
2016年６月	英国国民投票でEU離脱決議
2016年11月	米大統領選でトランプ選出
2017年３月	ブラックロック会長ESGレター
2018年11月	日産ゴーン氏逮捕
2020年１月	ブラックロック、ClimateAction100+に参加
2020年２月	エリオット・キャピタル、ソフトバンクG株主に
2020年３月	新型コロナウイルス感染世界へ拡大

堀　篤（ほり　あつし）

1962年愛知県生まれ。
大手証券会社に13年間勤務し、上場企業役員を２社歴任後、コンサルティング会社を設立。
IR・財務等コンサルタント
証券アナリスト
証券アナリスト試験対策講座講師
日本証券アナリスト協会認定アナリスト

【著作】
『YAHOO!ファイナンス公式ガイドブック2000』
『勝つ！　オンライントレード』など

【監修】
『ウォール街があなたに知られたくないこと』
『10日で学ぶMBA』など

【雑誌】
『日経ビジネス』など寄稿多数

現代経済戦略史と揺らぐグローバルスタンダード
コロナ後の世界における日本経済浮上の条件

2021年4月20日　初版第1刷発行

著　　者　堀　　篤
発 行 者　中田典昭
発 行 所　東京図書出版
発行発売　株式会社 リフレ出版
〒113-0021　東京都文京区本駒込 3-10-4
電話 (03)3823-9171　FAX 0120-41-8080
印　　刷　株式会社 ブレイン

ISBN978-4-86641-390-7 C0033
Printed in Japan 2021